KB103328

교사의 변명(辨明)

교사의 변명

지은이 독보적 동아리(손현준, 문민기, 이솔이, 정민우)

발 행 2024년 1월 8일
펴낸이 한건희
펴낸곳 주식회사 부크크
출판사등록 2014.07.15.(제2014-16호)
주 소 서울특별시 금천구 가산디지털1로 119 SK트윈타워 A동 305호
전 화 1670-8316
이메일 info@bookk.co.kr

ISBN 979-11-410-6564-5

www.bookk.co.kr

교사의
변명(辨明)

교사동아리 '독보적'

BOOKK

일정표

들어가는 말

선생님들께 참으로 어려운 한 해였습니다. 선생님이셨던 분들, 현재 선생님인 분들, 그리고 선생님이 되고자 하시는 분들이 올해 떠올린 가장 큰 질문은 '나는 왜 선생님이 됐을까' '나는 왜 선생님이 되고 싶어할까'라고 생각합니다. 그 이유는 각기 다르겠지만 유일하게 공통된 이유가 하나 있다면 그건 바로 가르치는 것을 사랑하고 학생들을 좋아하기 때문일 것입니다. 교권과 학생의 인권은 상충하는 것이 아닙니다. 함께 성장할수록 그 의미가 깊은 관계입니다. 그렇기에 이 두 가지를 조화롭게 성장시키기 위해서 우리는 학교 안에서 이루어지는 학생과 선생님의 관계, 그리고 선생님의 솔직한 생각과 느낌에 더욱더 집중할 필요가 있습니다. 우리가 이 책을 펴게 된 가장 큰 이유는 학교와 학생에 대한, 그리고 자기 자신에 대한 선생님들의 솔직한 생각을 전해드리기 위해서입니다. 변명(辨明)이란 어떤 잘못이나 실수에 대하여 구실을 대며 그 까닭을 말함, 그리고 옳고 그름을 가려 사리를 밝힘이라는 뜻이 있습니다. 우리는 이 책에서 학교 밖의 시선에서는 알기 어려운 선생님들에 대한 오해를 조금이나마 풀고 학교의 옳은 방향에 대해서 주관적인 견해를 밝혀 독자분들의 교육적 관심을 촉진시키고 공교육에 대한 신뢰가 회복되기를 소망합니다.

등장인물

본 책은 선생님들이 대화를 녹음하여 책으로 편찬하였습니다.

다양한 의견 개진을 위해 선생님들께서는 염세주의자, 이상주의자, 평화주의자, 낭만주의자의 입장이 되어 대화를 나누셨습니다. 이에 등장인물은 자동으로 염세주의자, 이상주의자, 평화주의자, 낭만주의자가 되겠지만, 가독성을 위해 염세주의자는 염쌤, 이상주의자는 이쌤, 평화주의자는 평쌤, 낭만주의자는 낭쌤으로 이름을 표기하였습니다.

다소 극단적인 주장들이 보인다면 본심이라기보다는 그런 주장도 필요하다고 생각하여 제기하신 말씀이니 참작하여 읽어주시면 좋겠습니다.

아래는 낭만주의자, 낭쌤께서 그리신 등장인물 캐릭터입니다. 별로 마음에 들지는 않지만 일단 실어보겠습니다. 감사합니다.

1교시 나는..

나는 왜 교사가 되었나?

염쌤 : 나는 왜 교사가 되었나? 한번 얘기해 봅시다. 현재 그때의 이유가 실현되고 있는가, 한번 얘기해 볼까요? 이쌤?

이쌤 : 너무 단순해서 항상 말하기 부끄럽긴 한데 저는 진짜 말하는 게 너무 좋거든요. 진짜 말하는 게 너무 좋은데 교사라는 직업은 계속 말할 수 있는 직업이잖아요. 둘이 말하든 혼자 말하든. 혼자 말하는 것도 좋아하니까, 그래서 저는 진짜 말하는 게 너무 좋고 사람하고 대화하는 것도 좋아서 교사가 됐어요. 다른 직업도 말하긴 하겠지만 말하기가 위주인 직업은 많지는 않은 것 같아서요.

그리고 전 행복한 게 가장 중요하다고 생각하는데 저한테 행복은 말하는 거예요. 상대방 귀에서 피날 때까지!

평쌤 : 무섭다.

이쌤 : 아무튼 그래서 저는 교사가 됐고, 지금은 완전 만족하죠.

염쌤 : 축하드립니다. 적성과 이상이 완벽하게 일치하네요.

낭쌤 : 혼잣말을 어떻게 해?

이쌤 : 혼자 있을 때 얘기 안 해요. 그러니까 그 혼잣말이 아니고 다대일로 제가 강의를 할 때, 혼자 말한다는 의미죠.

염쌤 : 형은 왜 교사가 됐어요?

낭쌤 : 진짜 나도 뻔한 스토리야.

염쌤 : 거의 다 그럴 것 같아.

낭쌤 : 난 중학교 때 국어 선생님. 진짜 그분 보고 교사가 됐지. 솔직히 내가 국어보다는 수학이나 과학을 더 좋아하거든. 근데 그 국어 선생님께 되게 고마웠고, 국어를 되게 재미있게 가르쳐주셨고, 그러다 보니 감화를 많이 받아서 '나도 국어 교사 한번 돼볼까?'라고 생각했지.
그분이 책 읽는 습관이나 국어와 관련된 활동들을 많이 하셔서 고등학교 가서도 그 생각을 많이 하다가 문과를 가게 되고, 국어교육과를 쓰게 되고, 그렇게 됐네.

염쌤 : 그 국어 선생님이 한 얘기 중에 기억 남는 거 있어요?

낭쌤 : 그렇게 기억나는 건 없어. 그냥 그 1년이 즐거웠어. 그러니까 나는 그 기억이 좋은 거야. 재미있는 1년을 보냈다, 라는 그 느낌. 내가 중학교 1, 2학년 때까지는 되게 옛날이

니까 '야만의 시대'였거든. 그때는 나도 학교 나가는 게 좀 무섭기도 하고, 동네도 좀 거칠고, 깡패도 많았고. 여기 가다가 맞고, 학교 가면 선생님한테 맞고.

염쌤 : 많이 맞던 시절이긴 했죠.

낭쌤 : 그러던 시절에 3학년 때 처음으로 여자 선생님이 담임 선생님이 된 거야. 진짜 신세계였지. 그때 선생님 집에도 놀러 가고, 선생님이 밥도 해주고. 하여튼 그 추억이 마음속에 딱 있으니까. 나도 그래서 담임을 맡으면 집에서 밥을 해줄 수는 없지만 좀 재미있는, 이벤트 될 만한, 기억날 만한 일을 해주려고 해.

염쌤 : 그 담임 선생님이 방금 말씀하신 국어 선생님이에요?

낭쌤 : 응. 1학년 때 기술, 2학년 때 체육, 3학년 때 국어, 내가 또 책 읽는 거를 좀 좋아하긴 했었어. 그래서 자연스럽게 '저런 선생님 같은 사람이 되고 싶다'라는 꿈을 꾸게 된 것 같아. 나도 그때 선생님처럼 학생들이랑 이런저런 활동을 하며 조금씩 뭔가를 만들어 가며 행복을 느껴.

염쌤 : 좋은 케이스네요.

낭쌤 : 교사가 되고 나서 찾아뵌 적이 있거든. 찾아가서 '선생님, 저도 이 길로 들어왔어요.'라고 말하니까 토닥여 주시더라.

염쌤 : 중학교 때 진로가 실제로 이루어졌네요. 코로나 때 학생들을 직접 못 만나서 되게 슬펐겠어요.

낭쌤 : 내가 진짜 코로나 때는 교사인지 아닌지 모르겠었지. 첫해에는 되게 심했잖아. 5월인가, 그때 애들이 처음 학교 오고, 수업은 온라인으로 맨날 올려놓고, 수업 들었는지 안 들었는지 확인하고, 전화로 독촉하고, 텔레마케터였지.

염쌤 : 사람들은 그때 교사들이 편하다는 얘기를 많이 했는데 사실 그건 어떤 직업인을 좀 매도하는 행위인 것 같아. 우리가 당연히 해야 하는 일을 하지 못하게 됐을 때 편안함도 없지는 않겠지만 상실감도 되게 크잖아. 근데 무조건 일을 하니 안 하니, 월급을 안 줘야 한다느니 그런 소리를 해서 속상했던 것 같아.

낭쌤 : 불뚝해지네.

염쌤 : 근데 되게 좋은 케이스다. 저는 사실 반대 케이스거든요.

이쌤 : 아, 반면교사로 교사가 된 거군요.

염쌤 : 그렇지. 형은 좋은 선생님을 만나서 선생님이 되고 싶었다면 나는 좋은 선생님에 대한 기억은 좀 적고, 관계가 좋지 않았던, 나를 힘들게 했던 선생님들 덕분에 오히려 교사를 생각하게 됐어. 나는 저러지 말아야겠다, 그런 생각을 했던 것 같아. 근데 교사가 되고 나서 세상이 많이 바뀌었더라고. 내가 교사가 되면 하지 말아야지, 라고 생각했던 일들이 당연히 하면 안 되는 세상으로 변해 있더라고.

평쌤 : 교사로서의 목표가 없어졌네요.

염쌤 : 그 정도까지는 아니지만.. 근데 다른 한 편으로 학생들과 친구같은 교사가 되고 싶은 마음도 있었는데, 그것도 좀 하면 안 되는 세상이 된 것 같아. 비교가 너무 일상이 된 사회가 되어버려서 우리 반 애들 먹을 것 사다주면 옆 반에서 뭐라고 하고, 그 반 담임 선생님도 곤란해지고. 학생들이 선생님을 엄청 비교하는 세상이 되어서 선생님들끼리 최대한 똑같이 하려고 노력하는 세상, 그게 아쉽다는 생각이 들어. 교사들의 노력을 편평하게 만들어버리는 분위기. 가뜩이나 발전 동력이 없는 집단에 그나마 남아있던 열정도 없애버리는 사회적 분위기에서 과연 어떤 노력을 할 수 있을까 의문이 들어.

염쌤 : 아무튼 그럼 평쌤은 왜 교사가 됐어?

평쌤 : 지금 말씀 들으면서 생각났는데 대부분 교사가 되신 분들은 다 학창 시절의 선생님 모습을 보고 교사가 되는 경우가 많잖아요. 저는 막 직접적인 영향을 받았던 건 아닌데, 그냥 수업 시간에 선생님들이 해주시는 학생들과의 이야기에 많은 감명을 받았어요. 예를 들어, 되게 삐뚤어진 학생을 선생님이 잘해줘서 아이의 인생이 바뀌었다거나 학생들의 인생에 좋은 영향을 줬던 이야기들을 들으며 '선생님이라는 직업이 되게 중요하구나', '학생들에게 엄청나게 큰 영향을 줄 수 있는 직업이구나.'라는 생각이 들면서 선생님이 하는 일들이 되게 멋있다고 느꼈어요. 어떻게 보면 살면서 뭔가 내가 의미 있는 사람이 될 수 있는 중요한 기회잖아.

이쌤 : 결국 선생님께 영향을 받아서 교사가 된 거네요.

평쌤 : 그죠. 처음 중학교에 발령받았을 때 그런 선생님이 되고 싶어서 일부러 상담할 때 되게 진지하게 했었어요. 내 한 마디가 애한테 얼마나 중요할까, 라는 생각이 들어서. 근데 이게 쉽지는 않더라고요. 잘한 건지 잘 모르겠어요.

염쌤 : 좋은 영향을 주고 싶은 마음이 있었네.

평쌤 : 근데 고등학교 와서는 그냥 수업만 하고, 학생들과 어떤 접촉이나 교류가 없어진 것 같아요.

염쌤 : 여고에서 남자 선생님이라는 게 좀 조심하게 되니까. 그래도 다들 내적 동기로 교사가 됐네요.

평쌤 : 외적 동기도 있습니다.

염쌤 : 당연히 있겠지만, 뭔가 진로·직업 선택에서 교사가 되는 이유를 너무 외적 동기만 항상 강조해서 얘기하니까, 나는 그게 좀 싫더라고. 너 방학 때문에 교사했잖아. 연금 때문에 교사했잖아. 뭐 이런 느낌의 말들.

이쌤 : 그렇죠. 교사가 될 때 별로 고려의 대상은 아니었는데.

염쌤 : 그러니까 교사를 꿈꾸게 되는 시점은 사실 어린 시절이었고, 그때는 방학이니 연금이니 그런 것 별로 생각 안 하고, 그냥 순수한 어떤 마음으로 한 건데. 다 커서 교사 된 사람한테 어린 시절의 열정과 꿈을 되게 아무 의미 없는 것처럼 만들고, 철밥통에, 방학, 연금 같은 외적인 요인을 들먹이며 마치 그것 때문에 교사가 됐다고 치부하는 그런 식의 평가가 되게 자존심 상하고 뭔가 좀 그렇더라고.

낭쌤 : 맞아, 그리고 학생들 대상 직업 선호도 조사 같은 곳에서'유튜버가 교사를 꺾었다.' 이런 기사 나오는 거 보면 교사를 희망한 이유와 희망이 줄어든 이유를 모두 외적 요인에서 찾고 있더라고.

염쌤 : 이상하게 미디어에서는 학생의 근처에서 교사가 좋은 영향을 줬기 때문에 교사를 희망하는 학생이 많다는 생각은 절대로 안 하는 것 같아. 그게 나는 좀 웃기더라고. 정말 외적 요인 때문에 학생들이 교사를 1위로 뽑았을까?

이쌤 : 접촉 기회가 많아서 그런 것도 있겠죠. 학생들이 직접 겪는 직업이 많지는 않으니까.

염쌤 : 그래서 저는 학생들이 어떤 직업을 선호하는 이유를 단순히 어른의 관점에서 해석하는 것이 좀 문제가 있지 않은가 하는 생각이 들더라고.

낭쌤 : 갑자기 드는 생각인데 만약에 제자가 선생님 보고 '선생님 같은 선생님이 되고 싶어요. 사범대를 가고 싶어요.' 라고 했어. 평쌤은 어떻게 할 거야?

평쌤 : 저는 너무 응원해 줄 것 같아요. (진짜?) 네 (그래?)

염쌤 : 허무한데?

평쌤 : 어떤 의도셨죠?

낭쌤 : 나는 그런 애가 있었는데 반대했었거든. 하지 마라고.

평쌤 : 왜요?

낭쌤 : 현실적으로 얘기를 한 거지. 앞으로 아마 좀 더 힘들어질 것 같고, 교사가 되기도 쉬운 게 아니고. 성격적으로도 잘 안 맞을 것 같고. 너무 진지해서 재미가 없는 학생이었어.

염쌤 : 농담으로 한 얘기긴 하지만 방금 얘기한 성격적인 부분도 고민해 볼 문제야. 왜냐하면 교사는 그 어떤 직업군보다 외향적인 사람한테 좋은 직업이고, 외향적인 사람이 필요한 직업군인데, 실제로는 많은 선생님이 내향적인 성격의 사람들이거든. 그러니까 그 직업군이 원하는 성격적 성향과 그 직업군에 도달하기까지의 학습적 성향을 비교했을 때 교사는 내향적인 사람들한테 좀 유리한 경향이 있단 말이지. 그런 구조가 학교의 문화에도 작용하고.

이쌤 : 근데 내향적인 사람이 많아요?

염쌤 : 왜 외향적인 사람이 더 많은 것 같아?

이쌤 : 모르겠어요. 그냥 반반인 것 같아서.

염쌤 : 정확히는 모르지. 근데 어떤 기사에서 교사는 내향적인 사람이 많다고 했던 것 같아.

평쌤 : 저도 본 것 같아요. 내향적인 사람이 많다고.

낭쌤 : 나도 경험적으로 그런 것 같은데?

이쌤 : 외향적인 사람만 딱딱 떠올라서 되게 많다고 생각했나 봐요. 그러니까 그게 영향력이 너무 세서

염쌤 : 아무튼 좀 비율이 맞아야 할 것 같은데 외향적 사람들이 좀 부족하지 않나 하는 생각을 해봤어요. 다음 주제로 넘어가 볼까요?

어떤 교사가 이상적인 교사일까?

이쌤 : 나는 교사가 될 수 있을까? 이게 정확히 어떤 의미에요?

낭쌤 : 그러니까 내가 교사가 되기 전에 어떤 교사가 돼야지, 그런 생각들을 했을 거 아니야. 근데 지금도 계속 묻고 있는 거지. 나는 그런 교사가 될 수 있을까?

염쌤 : 나는 내가 생각했던 이상적인 교사가 될 수 있을까? 이렇게 물어보면은 '이상적인 교사는 뭘까?'라고 물어볼 수밖에 없을 것 같은데?

낭쌤 : 근데 이거는 약간 주관적인 거 아니었어?

염쌤 : 주관적인 건데 내가 생각했던 이상적인 교사잖아. 근데 내가 생각했던 이상적인 교사가 다른 사람이 생각하는 이상적 교사와 너무 다르다면 어떻게 돼?

이쌤 : 근데 너무 다를 수 있지 않아요?

염쌤 : 그러니까 자신이 생각하는 이상적인 교사가 있지만, 개인의 가치관에 따라서 그게 본인한테만 좋은 최적화된 교사라면 '이상적인 교사'라고 말하기는 좀 이상하잖아. 그냥

본인이 생각하는 교사의 이상적인 라이프 스타일 정도가 되는 거지. 그러니까 스타일은 다를지언정, 주관적이긴 하지만 적어도 이상향이라고 할 수 있는 어떤 가치는 있어야 하지 않나 하는 생각이 들어. 그게 공통된 부분도 있고 차이점도 있을 수 있겠지만.

낭쌤 : 생각하는 이상적인 교사의 모습이 혹시 있어?

이쌤 : 저요? 그냥 딱 떠오르는 거는 '행복한 교사', 교사가 행복해야 다른 것도 다 잘할 수 있다고 생각을 해서요.

낭쌤 : 나랑 비교되는데

염쌤 : 뭔데요?

낭쌤 : 나는 아이들을 웃길 수 있는 교사, 개그맨이 되고 싶어.

이쌤 : 그럴 수 있죠, 저도 그 욕심 엄청 많아요.

낭쌤 : 웃기면 얼마나 그 성취감이 좋은 지 몰라.

염쌤 : 사실 그래. 다 필요 없어. 한 번 웃는 게 제일 좋긴 해.

낭쌤 : 아이들과 하하호호 웃을 수 있는 교사가 되고 싶었어.

염쌤 : 그러니까 웃긴 게 아니라 같이 웃을 수 있는 거네. 웃긴 것도 좋지만 같이 웃는 게 좋다. 평쌤은 뭐야?

평쌤 : 저는 그냥 잘 가르치는 교사가 항상 제일 중요하다고 생각했어요. 수업 준비를 많이 해오고, 확실하게 알려줄 수 있는 그런 교사.

염쌤 : 이번엔 제 차례네요. 근데 사실 저의 속마음은 이상적인 교사 같은 거 없다고 생각해요. 동시에 '그런 걸 쫓지 말자.'는 주의예요. 솔직히 수업이라는 게 하다 보면 잘될 때도 있고, 좀 안 될 때도 있고 그때그때 되게 다르잖아요. 그리고 내가 이상적인 모습을 상정해놓고 그것에 미치지 못하는 모습을 계속 의식하다 보면 너무 일희일비하게 될 것 같고, 스스로 패배감을 심어주는 것 같아서.

이쌤 : 그러면 전혀 생각하는 이상적인 교사가 없어요?

염쌤 : 뭐 굳이 말해보자면 '지치지 않는 교사'. 그 정도로 하겠습니다. 그럼 마무리할까요?

나는 교사라고 할 수 있을까?

염쌤 : 낭쌤이 던진 질문입니다. '나는 교사라고 할 수 있을까?' 철학적인 느낌이 드는데요?

낭쌤 : 그냥 나에 대한 어떤 고민이나 반성의 의미로 한 번 던져 본거야. 뭐라고 대답하기가 조금 어렵긴 해.

염쌤 : 난 우리가 왜 이런 생각을 해야 될까란 사실이 좀 그래. 옛날 같았으면 선생님들이 그런 생각을 했을까? 사람들이 나를 교사로 바라봐 주는 지, 내가 이 사회에서 교사라고 얘기하는 게 괜찮은 건지, 옛날에는 이런 고민은 별로 안 했을 것 같아. 가르치고 있고 수업에 분필 잡고 있으면 당연히 교사였지. 물론 그분들이 교사로서 고민을 안 하지는 않으셨겠지만 요즘은 교사들이 스스로 이런 고민을 하게 만드는 세상이 된 것 같거든요. 그래서 제기한 질문 아니에요? 나는 교사라고 할 수 있을까? 형이 누군가한테 그렇게 물어봤을 때 어떤 대답을 듣고 싶어서 한 거야?

낭쌤 : 누구한테 질문을 했다기보다는 그냥 나에게 던진 거야.

염쌤 : 그럼 이런 질문을 동료가 했으면 뭐라고 답해줄까?

이쌤 : 난 교사라고 할 수 있니? 뭐 이렇게?

염쌤 : 그렇지. '나 선생 맞아?' 이런 뉘앙스잖아. 뭐 때문인지는 잘 모르겠지만 그런 얘기를 동료가 하면 우리가 무슨 말을 해줄 수 있을까?

이쌤 : 그런 고민 크게 하지 말라고 말해주고 싶어요. 그럼 또 스스로 기준을 만들어서 맞춰가느라 힘들 것 같아요.

낭쌤 : 근데 남이 그렇게 물어보면 뭔가 힘든 상황인 거 아냐? 그러니까 그냥 위로해야지. 잘하고 있어. 한 잔 할까?

염쌤 : 하긴 결국 그것밖에 없긴 하겠네요. 그러니까 보통 이런 질문은 스스로에 대해 불만족이 있어서 하는 질문 아닌가?

낭쌤 : 아니면 스스로 확신이 필요해서 하는 질문 같기도 해. 나는 지금 제대로 하고 있는 건가라는 자조적 질문.

염쌤 : 나는 똑바로 하고 있는가, 만약 그런 질문을 하는 사람이 있다면 저는 그 사람이 진짜 교사라고 생각해요. 오히려 그 질문이 없어지는 순간부터 자신이 추구하는 교사로부터 멀어지는 거니까 그런 질무을 하는 것 자체는 좋은 일인 것 같아요.

낭쌤 : 나는 최근에 그런 생각이 좀 들었어. 교직에 들어온 지 꽤 됐고, 세월도 꽤 지났고, 어린 친구들도 많아지고, 그런 상황에서 내가 내 위치에서 할 수 있는 일을 제대로 하고 있는 건가, 그런 생각을 하며 던진 질문 같아.

염쌤 : 흠, 포지션이 변화했다는 인식이 있었군요.

낭쌤 : 업무는 어떻게든 하겠지만, 나이와 경력에 맞는 어떤 역할을 내가 제대로 하고 있는 건가, 그런 생각이 든 거지.

염쌤 : 근데 어떻게 보면 교사의 역할이 좀 많잖아요. 행정, 수업, 교과 연구, 담임교사 등 다양한 역할이 있는데 저는 그 모두를 잘하는 사람은 거의 없다고 생각해요. 보통 경력이 쌓이면 업무에 능숙해지고 안정감이 들면서 스스로 프로라고 인식하게 되는데 교직은 아무리 해도 스스로 프로라는 느낌이 들기 어렵단 말이지.

나는 그 지점이 정말 어려운 것 같아. 교사로서 경력이 아무리 쌓여도 별로 안정감이 들지 않고, 오히려 나이가 들수록 약간 도태되는 느낌이 드는 것. 어떻게 하면 교사로서 프로가 될 수 있을까? 일단 나는 잘 모르겠어. 그리고 그 방법을 아는 사람도 별로 없는 것 같아.

낭쌤 : 이런 부분은 이 사람 정말 프로다, 라고 느낀 적 없어?

염쌤 : 행정적으로는 좀 있는데, 정말 교사로서 중요한 상담이나 수업, 생활지도 이런 부분은 서로 정확히 관찰이 불가능하니까 정확히 모르는 상태에서 그냥 좋은 사람을 좋은 교사로 연결시키는 면이 큰 것 같아요. 실제적으로 관찰이 안 되니 직업적 모델링도 힘들고, 좋은 사례, 좋은 방법이라는 것들도 진심으로 마음에 닿지는 않고, 1년에 한 번 하는 공개 수업은 연극에 가까워서 전혀 모델링이 안 되고. 뭔가 직업 세계에서 서로를 상승시킬 수 있는 기작이 거의 발생하지 않는 다는 점이 좀 아쉽죠. 최근에 전문적 학습공동체가 활성화되긴 했지만 여전히 동료교사를 모델링하는 것은 쉽지 않은 일이죠.

낭쌤 : 우리가 프로라고 느낀 교사조차 정확히 아는 게 아니라 그런 것 같다, 라고 느끼는 거란 말이네. 실제로 수업을 볼 수 있었던 것은 아니니까. 맞는 것 같네.

이쌤 : 사실 저는 수업 면에서 프로라고 느낀 분이 있긴 있어요. 같이 많은 활동을 하다 보니까 알게 된 것 같아요.

염쌤 : 어느 지점에서 딱 프로다고 느꼈어요?

이쌤 : 되게 아이디어가 많고, 자료랑 방법을 잘 공유해주세요. 실제로 수업에서 썼더니 애들도 너무 즐거워했어요.

이쌤 : 그 분은 그런 아이디어를 매시간 만들고, 아낌없이 나눠주시고, 연구도 같이 하자고 권유해주시고, 수업도 공개하시고 그러셔서 자연스럽게 프로라는 생각이 들어요.

염쌤 : 수업이 진심이시네.

이쌤 : 진짜 집에 가서 새벽 3시까지 만드시고 그런데요.

염쌤 : 도대체 왜 그렇게까지 하는 걸까?

낭쌤 : 즐겁대. 아무리 피곤해도 책 읽고 자고. 수업 시간에 할 자료나 이벤트 만들고.

이쌤 : 맞아. 올해도 100권 넘으신 것 같던데요.

평쌤 : 정말 대단하시네요.

염쌤 : 모델링 할 수가 없는데? 근데 약간 다른 얘기이긴 한데 나는 남이 만든 자료를 잘 안 써. 쓸 수도 있겠지만 내가 재해석하거나 다시 만들어야지 그냥 쓰지는 않아. 좀 꼰대 같은 느낌이지. 프로그램도 남이 하면 잘 안 해.

낭쌤 : 기질이 비슷한데? 나도 반골 기질이 있지.

염쌤 : 반골이라서 그런 건 아니고, 그냥 유행하는 방법을 쓰는 것 자체가 학생들에게 지겹게 느껴질 것 같아서 안 써.

이쌤 : 맞아요, 그건 맞죠. 여기저기서 계속 하면 지루하죠.

염쌤 : 아무튼 '교사라고 할 수 있을까?'라는 질문에 대한 얘기를 나눠봤는데 끝으로 스스로 한번 답을 해보죠. 자기가 생각했을 때 본인은 본인이 교사라고 당당하게 얘기할 수 있습니까?

평쌤 : 전 못할 것 같아요. 비록 교과에 대한 지식은 제가 애들보다 많을지 모르겠지만 제가 생각하는 교사는 아무래도 인성적으로 완성되어 있고, 좀 어른스러운 사람이라는 그 이미지가 있어서 아직은 아닌 것 같아요. 그리고 제가 나이도 아직 어려서 애들과 차이가 그렇게 크지도 않고.
저는 그래서 경력이 있는 선생님들은 과연 어떻게 생각하실까, 초임 때랑 지금이랑 좀 달라지셨을까? 라는 게 궁금해요.

염쌤 : 그러니까 단순히 나이 차이 때문은 아닐 거고, 아직 내가 충분히 완숙되지 않았다고 느끼는 거죠? 형이 먼저 얘기해 봐요. 나이 들면서 달라진 것 같아요?

낭쌤 : 아무래도 나이 들면서 뭘 좀 더 해야겠다는 느낌은 받아. 아무래도 어린 친구들이 일을 조금 더 맡는데 월급은 거꾸로 나이 든 사람이 더 많이 받으니까. 나이에 맞게 책임지고 해야 될 일은 뭔지 고민하게 되고, 새롭게 기획해서 기회도 좀 만들어줘야 할 것 같고.

아무튼 처음 질문 나는 교사라고 할 수 있는가에 답해보자면 '나는 평균은 하고 있다.'라고 생각해. 특히 방과 후 수업 개설하면 안 열린 적은 없거든. 그래서 아이들이 아직은 나를 필요로 하는구나, 라고 생각해.

염쌤 : 나는 폐강 전문인데, 그렇게 따지면 나는? 그럼 이쌤이 얘기해 봐요.

이쌤 : 음.. 교사라고 할 수는 있을 것 같은데, 그 이유가 모든 업무를 완벽하게 해서 그런 건 아니고요. 제 생각에는 많은 분야가 있겠지만 하나라도 자기 기준에 충족하면 교사라고 할 수 있다는 생각이 들어요. 근데 약간 스스로 느끼는 문제는 담임일 때 완벽한 인성이 발현되어야 하는데 저는 오히려 담임을 안 할 때 완벽한 인성이 발현되는 느낌이에요. 아무래도 스트레스를 안 받으니까 애들한테 더 잘해주고, 좀 더 친절해지고, 고민 상담 요청하면 되게 진지하게 받아주고. 담임을 맡았을 때 잘 못하던 일을 비담임일 때 열심히 하게 되니까 좀 모순인 것 같은 느낌이에요.

염쌤 : 저는 이제 교사를 떠나려고 합니다.

이쌤 : 갑자기?

염쌤 : 나는 오히려 젊었을 때 스스로 제일 교사였던 것 같아. 근데 경력이 쌓이고 학교에서 맡게 되는 역할이 증가하면서 학생보다 오히려 동료 교사나 학교 전체 돌아가는 거에 훨씬 더 많은 신경을 쓰게 되니까 엄밀히 따지면 교사라기보다는 교육 공무원이 된 느낌이 들어. 그래서 경력이 늘어나면서 젊었을 때 생각했던 교사의 모습에서 오히려 멀어진 것 같은 거지. 그러니까 평쌤의 질문, 경력이 쌓이면 좀 나아지는가에 대한 답은 '잘 모르겠다.'입니다.

그리고 '나는 교사라고 할 수 있는가?'에 대한 답은 할 수 없는 것 같아서 이제 슬슬 떠나려고 생각 중입니다.

이번 질문은 여기까지, 끝.

나는 학교에 어울리는 교사인가?

염쌤 : 질문을 제기하신 분이 한 번 설명해주세요.

낭쌤 : 그러니까 사회적으로 요구하는 학교의 모습이 있다면 나는 거기에 어울리는 교사인가?

염쌤 : 사회적으로 요구하는 학교의 모습이 뭐죠?

낭쌤 : 그러니까 행실이 올바르고.. 하여튼 외부에서 요구하는 학교의 어떤 모습들 있잖아. 질문이 조금 겹치나?

염쌤 : 생각을 해보죠. 사회는 교사한테 뭘 요구할까? 사회라고 하면 주체가 누군지 좀 모호하긴 한데. 각 주체별로 교사한테 원하는 모습이 다 다른 것 같아서.

낭쌤 : 그럼 질문을 바꿔서, 아침에 일어나면 학교 오고 싶어?

염쌤 : 저는 오고 싶죠.

낭쌤 : 평쌤은?

평쌤 : 저는 반반입니다.

낭쌤 : 반반치킨? 학교에 왜 오고 싶은 거야?

염쌤 : 집이 힘드니까.

낭쌤 : 예상치 못한 답변인데.

이쌤 : 저는 학교에서 제일 많이 웃어요. 그래서 오고 싶어요.

낭쌤 : 육아가 힘들긴 하지.

염쌤 : 형은 오고 싶어요?

낭쌤 : 응. 오고 싶긴 해. 학교 와서 사람들이랑 만나서 이런 활동하는 것도 재밌고, 아이들이랑 노는 것도 재밌어.

염쌤 : '어울리는'이 '사람들과 잘 어울리는'이었나?

이쌤 : (정색)아닌 것 같은데요?

염쌤 : 농담이 아니라 진짜 그런 의미도 있는 거 아냐?

평쌤 : 중의적으로.

낭쌤 : 그렇게 해석할 수도 있겠다. 근데 내가 생각한 건 '학교에 요구되는 어떤 모습에 내가 어울리는 교사일까?' 였어.

염쌤 : 약간 각 잡힌 느낌? 근데 그것도 옛날 얘기 아니야? 요즘에는 좀 자유로운 분위기로 많이 바뀐 느낌이긴 한데. '교사의 품위 유지'와 관련된 건가?

낭쌤 : 아니 그건 되게 좁은 거 같은데?

염쌤 : 근데 학교라는 건 사실 굉장히 추상적인 관념이잖아. 그리고 학교마다 되게 다르기도 하고. 판단을 어떻게 해야 할 지 잘 모르겠는데?

낭쌤 : 내가 이 질문을 할 때 그런 생각을 했어. 일반적으로 학생들도 물어보면 학교 오기 싫다고 하고, 선생님들도 학교 오기 싫다고 하고, '왜 학교의 모든 구성원들이 학교를 오기 싫어할까?'라는 생각을 하며 만든 질문이었어. 그러니까 지금 나는 학교 체제에 어울리는 교사가 맞는가, 그런 느낌의 질문이었던 거지.

염쌤 : 학교 체제에 어울리느냐..

낭쌤 : 그러니까 시간에 딱딱 맞춰서 굴러가고, 꼭 해야 하는 수업만 하는, 자유롭지 못한 느낌의 교육을 생각한 것 같아.

염쌤 : 그래서 학교 오고 싶은지 물어본 거구나. 근데 학교에 오기 싫은 게 학교의 체제 때문에 오기 싫었던 거야?

낭쌤 : 체제도 있고, 학교에서 진행하는 수업의 형태라든가, 아니면 답답한 학교의 건물 공간 같은 것 때문 아닐까?

염쌤 : 나는 꼭 학교가 아니라도 그 나이에 매일 아침 8시에 일어나서 어딘가 가야 된다면 싫을 것 같은데? 근데 유년기 시절의 그 가기 싫은 감정과 경험이 하필 학교랑 연결된 거는 아닐까? 나이 들면 그런 마음이 직장이랑 연결되서 사람들이 일요일 밤에 다음날 직장가기 싫다고 다들 슬퍼하잖아. 그러니까 꼭 학교가 아니어도 누구나 매일 규칙적으로 어딘가를 아침에 가야하는 상황이 싫은 것 같은데?

낭쌤 : 그럼 왜 우리는 모든 사람이 다 싫어하는 걸 하고 있어야 될까? 학교든 직장이든.

염쌤 : 근데 싫다는 1차적 감정과 해야 한다는 가치가 대립한다면 가치가 이겨야 되는 거 아냐? 누구나 밥하기 싫죠. 귀찮으니까. 근데 밥을 먹어야 살잖아. 그럼 밥하기 싫다는

감정과 밥을 해야 한다는 가치를 비교하면 당연히 밥을 할 수 밖에 없잖아. 나는 학교에 오는 것도 그런 거라 생각해.

다만 학교든 직장이든 아침에 오기 싫은 귀찮음, 피곤함, 걱정 같은 거는 당연한 일이니까 그런 감정이 드는 것 자체는 큰 문제가 아니라고 봐. 근데 일단 학교에 오고 나서 빨리 벗어나고 싶다는 감정이 들면 안 된다고 생각해. 그건 교사든 학생이든 너무 고통스러우니까 그런 감정이 안 들도록 학교가 노력해야지.

그리고 나는 교사니까, 학생들이 그런 감정을 느끼지 않도록 편안함을 주는 사람이라면 형이 얘기한 학교 체제에 잘 어울리는 사람이라는 생각이 드네요. 내 수업 시간에 학생들이 편안한가, 우리 반 학생들이 나를 어려워하거나 부담스러워 하지는 않는가, 그런 질문을 스스로 되뇌어 봤을 때 괜찮다면 학교 체제에 잘 어울리는 사람인거죠. 질문하신 게 이런 느낌 맞아요?

낭쌤 : 모르겠다. 근데 다들 잘 어울리는 교사는 맞는 것 같아.

이쌤 : 그래요. 끝끝끝.

쉬는 시(詩)간

셰르파

이쌤

부서져내리는 설경
무전을 기다린다

얼어붙은 눈꺼풀

놓지 않는 마음으로
너와 나의 악수를 기억한다

흰 산들을 바라보며 무전을 기다린다

곳곳에 솟은 이글루들
그 안에 웅크리고 있을 우리의 안부

정상에 오르지 못해도 괜찮다며
장갑처럼 꼭 쥔 무전기에 대고 외친다

오늘도 흰 세상에 메아리처럼 남는 나의 발자국

2교시 나의 일은..

어떤 수업이 좋은 수업일까?

염쌤 : 시작하겠습니다. 오늘은 주제가 '수업에서 만나는 학생' 이었는데, 결국 두 개의 카테고리인 것 같아요. 첫 번째는 수업 자체에 대한 것을 얘기하고, 다음으로 수업에서 만나는 학생에 대해 얘기해 보겠습니다. 그럼 혹시 수업과 관련해서 생각해 놓은 질문 있으세요?

이쌤 : 약간 포괄적인 질문이긴 한데, 저는 그냥 '좋은 수업이란 무엇인가?'로 얘기해 보면 좋을 것 같습니다.

염쌤 : 좋아요. 형이 어느 정도 생각을 갖고 있을 것 같아.

낭쌤 : 정리가 잘 안 되는데, 뭘 어떻게 얘기해야 할까?

염쌤 : 아주 이상적인 답변일 필요는 없을 것 같고, 굳이 질문을 바꿔보자면 수업이 끝나고 내가 기분이 좋았던 수업? 정도의 느낌으로 생각하면 되지 않을까? 아니면 내가 현재 하고 있지는 않지만 추구하는 수업의 모습을 얘기 해보는 것도 좋을 것 같고. 준비된 사람부터 얘기해 보죠.

염쌤 : 나부터 말해볼까? 정확하게 말하기가 좀 어려운 게 사실 추구하는 수업의 모습이 해마다 달라지는 것 같아요. 일단 갓 교사가 됐을 때는 누구나 그렇듯이 재밌는 수업을 하고 싶었죠. 학생들이 내 수업에 집중하고, 이해 쏙쏙 되고, 원하는 대로 잘 따라오고, 질문도 많이 하는 그런 느낌?

근데 첫 해 교사가 되고 나서 좀 당황스러웠던 부분이 제가 가르치기 이전에 같은 과목을 가르친 선생님과 저의 수업 방식을 학생들이 비교하더라고요. 이전 선생님은 이렇게 해주셨는데 왜 선생님은 안 해주시느냐, 이런 식으로 불만을 제기하는데 고민이 많이 됐죠. '어떻게 수업을 하는 것이 좋을까?'라고. 그래서 수업 방식을 계속 바꿔봤어요. 한 달 정도 주기로 수업 방식을 바꾸면서 애들한테 물어봤죠. 어떻게 수업을 하는 것이 더 좋은지, 근데 그렇게 해보니까 어차피 모두가 만족하는 수업 방식은 없다는 것을 진심으로 느꼈죠. 당연한 말이지만 학생은 다 다르더라고.

그러니까 재미의 여부를 떠나서 단순히 칠판에 판서를 하냐, PPT를 쓰냐, 학습지를 나눠주냐 등의 가장 기본적인 수업 방식조차도 개인의 취향이 너무 달라서 맞출 수 없다는 결론을 내렸고, 그때부터는 좀 노선을 바꿨죠. 그냥 학생들이 나한테 맞추도록 유도하자. 학생들은 다수고 나는 한 명이니 그것이 효율적이지 않은가. 한편으로는 다양한 사람들의 수업 방식에 맞춰 공부할 줄도 알아야 한다는 생각도 들었고. 뭐 시대에는 안 맞는 것 같지만.

염쌤 : 학생 맞춤형 수업이 강조되는 시대이긴 하지만 학생에게 맞춘다는 것이 수업 기법을 맞추는 의미는 아닐 테니까. 그냥 제가 가장 잘하는 방식으로 하자고 결론지었죠. 솔직히 교사가 수업 준비에 쓸 수 있는 시간도 많지 않고.

낭쌤 : 그래서 좋은 수업이 뭐라고 생각하는 거야?

염쌤 : 결국 그 얘기를 안 했네요. 음.. 잘 모르겠어요. 진짜 모르겠는데, '모르겠다.'보다는 '알 수 없다.'가 맞는 것 같긴 해요. 그래도 뭔가 정의를 해보자면 '그냥 내가 준비된 수업'이 좋은 수업인 것 같아요. 스스로 교사라면 느낄 것 같아요. 수업이 스스로 준비됐는지 안 됐는지. 여기에 좀 부가 설명을 붙이자면 세 번째 또는 네 번째에 하는 수업이 제일 좋은 수업 같습니다. 같은 내용을 한 서너 번 정도 수업하면 제일 잘 되더라고요. 다른 요인도 좀 붙여보자면 2, 3교시 정도에 하는 수업이 좋죠. 학생들이 환경적인 요소에 영향을 많이 받는 것 같아요.

이쌤 : 맞아요. 1, 5교시는 힘들고.

평쌤 : 반마다도 다르고

염쌤 : 그러니까 그래서 사실 잘 모르겠어. 그럼 다음 사람?

평쌤 : 저는 일단 교사가 되기 전부터 학생들이 참여할 수 있는 수업이 좋은 수업이라고 배웠어요. 그러니까 다양한 프로그램을 기획하고, 시도하는 수업. 일종의 재밌는 수업이죠.

그래서 신규 때 게임 같은 거를 많이 시도 해봤어요. 애들은 재밌어하는 것 같았는데 몇 번 해보니 뭔가 저한테는 잘 안 맞는 것 같은 기분이 들었어요. 그래서 애들한테 '강의식이 좋아? 아니면 활동하는 수업이 좋아?'라고 물어봤는데 학생들이 강의식이 더 좋다고 하더라고요. 그게 편해서 그런 건지 모르겠지만, 아무튼 그때부터는 강의식 위주로 수업을 많이 하는 것 같아요. 그래서 수업 방식에 있어서는 그 선생님만의 스타일이 있는 것 같다,라고 생각해요.

그리고 좋은 수업은 '수업 끝났을 때 내가 만족스러운 수업'이 아닌가 그런 생각이 좀 들었습니다.

염쌤 : 참여형 수업 얘기가 나와서 한번 좀 이어가 보면 사실 요즘 너무 강조하잖아요. 근데 인류의 지적 성장의 역사를 봤을 때 그렇게 꼭 몸으로 다 해야지 배울 수 있다면 인류가 어떻게 그 대단한 업적을 이루었겠어요? 엄밀히 얘기하면 굉장히 집약된 지식을 강의 위주로 빠른 속도로 습득했기 때문에 전(前) 세대의 시행착오를 건너뛰고 발전할 수 있었던 거잖아요. 근데 요즘은 너무 참여를 강조하면서 약간 알맹이가 빠진 느낌이 들 때가 많아요. 적당히 하면 좋은데, 정책적 방향이 너무 참여형 수업을 강조하다 보니

반대쪽이 마치 아주 좋지 않은 방식인 것처럼 무시당하고 있지는 않은가, 그런 생각이 드는 거죠.

이쌤 : 저는 좋은 수업이란 그냥 아이들이 안 자는 수업이라고 생각해요. 물론 쉽지는 않지만. 개인적으로 학생 때 제일 재밌었던 게 선생님들이 '썰' 풀어 주는 거였어요. 근데 그 썰이 수업과 전혀 관계없는 썰이면, 공부 잘하는 애들이 안 듣고 딴짓하는데, 그건 제가 또 싫어서 듣다보니 뭔가 수업과 연계되고 갑자기 수업으로 넘어가는 느낌의 썰을 되게 많이 준비했어요. 1년 차 때는 그런 방식으로 나름 만족했는데, 2년 차 때 수업 시간에 하는 활동을 많이 나눠주시는 선생님이 오셔서 수업에 적용했더니 제가 썰을 풀지 않아도 애들이 안 자고 되게 재밌어하더라고요.

근데 문제는 강의식 수업과 활동형 수업 중 저는 강의식이 훨씬 잘 맞는 교사인 걸 알게 된 거죠. 그러니까 제가 활동형 수업을 진행하면서 조금 버겁다는 느낌을 받았어요. 애들은 애들대로 막 날뛰고, 저는 그걸 통제하기가 너무 힘들고, 수업 내용을 학습하는 데 너무 시간이 오래 걸리는 듯한 느낌도 들고.

그래서 3년 차 때는 썰과 활동을 복합적으로 사용해 보기로 결심했어요. 애들이 잠은 안 자고 잘 듣는데, 문제는 시간이 너무 오래 걸리는 거예요. 수업을 계속 50분을 꽉 채워서 하는 거죠. 근데 이번에 1정 연수받으면서 수업 시간을 안 지키는 교수님이 제일 싫은 거예요. 그래서 제가 아무리 의미 있게 열심히 했어도 수업을 너무 오래 하고, 쉬는 시간을 잘 안 지켜줬던 게 좀 문제였다고 생각했어요.

그래서 지금은 잠들지 않는 수업이 여전히 제일 좋은 수업이라고 생각은 하지만 그거에 대한 방법이나 방향성은 찾아가는 중입니다.

염쌤 : 잠을 안 자는 수업. 어떻게 보면 많이 얘기되는 부분인데. 학생들이 수업 시간에 자는 것이 정말 온전히 교사 변인일까? 라는 의문이 들어. 보통 사람들은 수업이 재밌으면 안 자고, 재미없으면 잔다는 식으로 얘기하지만, 경험적으로 꼭 그런 것은 아닌 것 같거든.

이쌤 : 그냥 처음부터 계속 자는 애도 있죠.

염쌤 : 어찌 보면 단순히 피곤의 문제일 수 있지 않을까?

이쌤 : 그런 것도 있죠. 피로의 문제.

염쌤 : 그래서 나는 그런 적도 있었어요. 애들이 피곤한 게 수업을 시작하기도 전에 느껴지면 일단 먼저 재우고 나중에 수업을 한 거죠. 옛날에 학교 다닐 때 '이것만 하면 빨리 끝내줄게.' 이런 약속하신 분들 많았는데 그 약속이 지켜진

걸 별로 못 봤거든요. 그래서 일단 먼저 재우고 그다음에 깨워서 수업하면 학생들에게 책임감도 좀 느끼게 할 수도 있을 것 같아서 해봤죠.

이쌤 : 15분 자고 일어나서 공부하자, 이런 식으로?

염쌤 : 그런 식으로 했었죠. 빨리 끝내준다는 미래의 불확실한 약속보다는 일단 먼저 자고 나서 공부하는 거니까 학생들이 약속을 더 소중히 하는 느낌이 있었어요. 근데 지금은 세상이 변해서 그런 약속을 하지 않아도 학생들이 알아서 잘 자기 때문에 굳이 필요하지는 않죠.

낭쌤 : 희한한 게 지금 얘기를 듣고 보니 내가 다 겪은 거야. 나도 맨 처음에는 학생들이랑 재미있게 할 수 있는 수업을 많이 생각했지. 특히 남자애들은 군대 얘기하면 난리 나거든, 그런 걸로 좀 재미있게 하고. 수업 방식도 비경쟁 게임, 토론, 모둠 활동 등 많이 시도해 보고, 시각 자료도 엄청나게 만들고.

근데 이런 걸 하다 보면 수업 시간이 부족해. 국어는 과목 성격상 진도가 항상 빡빡하거든. 그래서 동교과 선생님들과 시험 진도를 정해놨는데 항상 진도를 못 나가서 나중에 시험 범위 좀 줄이자고 부탁드리고 그랬지.

평쌤 : 동교과 선생님들께서 좀 불편하셨을 것 같은데요?

낭쌤 : 응, 나보고 수업 시간에 뭐 하는 거냐고 물어보고 그랬지. 그러니까 점점 그런 시도를 못 하겠더라고. 현실적으로 진도 나가기가 너무 급급하고, 나 혼자만 그 과목을 가르치는 것이 아니니까, 민폐 끼칠 수는 없잖아. 사실 그래서 나 혼자 하는 교과목이 마음이 편해. 내가 하고 싶은 거를 마음껏 하니까. 물론 시험 문제 낼 때는 힘들지만.

그리고 안 재우는 수업에 대해 옛날에는 나한테 권한이라고 할까, 책임이라고 할까 그런 것이 있다고 생각했어. 내가 학생들이 안 자는 수업을 할 수 있다고 생각했지. 근데 그게 1년 365일을 그렇게 할 수 있는 건 아닌 것 같아. 아무리 노력해도 안 되는 건 있는 거지.

그래서 결론을 얘기하면 지금 생각하는 좋은 수업은 그냥 내 만족도인 것 같아. 그 수업 끝나면 뿌듯한 거 있잖아. 설명하는데 애들이 끄덕끄덕하고, 이해했다는 느낌이 빡 오면 '제대로 했다.'라는 느낌이 오는 거지.

이쌤 : 맞아요. 그때 엄청 뿌듯해요.

낭쌤 : 그리고 고등학교에 있는 학생들이 국어 교사인 나에게 바라는 건 뭘까, 그런 고민도 많이 했지. 그래서 작품 감상법, 언어 영역을 준비하는 노하우 같은 거 준비하고.

낭쌤 : 그리고 아까 얘기한 것처럼 첫 번째보다는 두 번째, 세 번째 하는 수업이 잘 되는 것 같아. 나는 펜 색깔도 중요하거든. 내용 체계는 파란색 밑줄, 어휘는 빨간색, 이런 식으로. 근데 첫 시간엔 다 헷갈려. 몇 번 해야지 구조화가 되지. 적절하게 애들 휴식 시간 주는 것도 좋고.

근데 수업할 때, 호응이 없으면 옛날에는 되게 힘들었거든. '내가 재미가 없나? 내가 제대로 못 가르쳤나? 애들이 내가 가르치는 게 별론가?' 그런 생각을 했었는데 나이 들고 보니까 그건 아니었던 것 같아. 그냥 그런 날도 있고, 아닌 날도 있고, 그런 것 같아.

염쌤 : 그러니까 영화 같은 거지. 아무리 좋은 영화도 싫어하는 사람 있잖아. 수업을 하나의 작품으로 보면 거기서 무언가를 느낀 애가 있고 못 느끼는 애도 있고. 우리 잘못은 아닌 거지.

이쌤 : 위안이 되네요.

낭쌤 : 내가 방학 때 참여형 수업 잘하시는 분들 연수를 듣고 적용해 봤는데 잘 안되더라고, 내 역량인지.

염쌤 : 교사 역량이 아예 작용을 안 하지는 않겠지만 한계는 분명히 있다고 봐.

낭쌤 : 솔직히 그 사람들의 어떤 에너지나 퍼포먼스는 내가 보여주기 힘들더라고. 아무리 좋은 방법이라고 해도 내가 100% 할 수는 없는 거지.

염쌤 : 더 중요한 게 뭔 줄 알아? 1교시부터 7교시까지 하는데 모든 수업이 다 그러면 진짜 애들 죽어.

이쌤 : 진짜 힘들겠다.

염쌤 : 교사 한 명은 자기 수업만 생각하지만 애들 입장에서는 1교시부터 7교시까지 하나의 과정이라 강약 조절이 필요한데 모든 수업의 텐션이 위에서 놀면 좀 그런 것 같아요. 사실 앞 수업이 뒷 수업에 주는 영향이 생각보다 크잖아. 체육을 하고 왔을 때도 그렇고. 느껴지잖아. 그래서 뒷사람에게 너무 부담을 안 줘야겠다는 생각을 해요.

평쌤 : 저도 좀 그런 것 같아요.

염쌤 : 그러니까 학생의 욕구 중에 휴식이 있는 거야. 그리고 그게 내 수업 시간에 절실하게 느껴지는 거야. 그러니 쉬는 시간을 안 줄 수가 없잖아. 나의 자존심은 좀 깎이겠지만, 그게 차라리 낫다면 그런 마음도 들더라고요. 그리고 한편으로는 어떤 선생님이 내준 과제가 다른 수업 시간을

침범하는 경우도 좀 그렇더라고. 그러니까 우리가 교육 공동체라면 전체 수업을 좀 고려해야 하지 않나, 라는 생각도 해요. 그래서 학생들이 상대적으로 만만한 선생님들 수업 시간에 그걸 몰래 하는 일이 발생하지 않도록 가급적 너무 무리한 과제는 지양해야 한다고 보고.

낭쌤 : 근데 꼭 선생님이 무리한 과제를 안 줘도 애들이 그냥 알아서 스스로 하는 경우도 있지 않나?

염쌤 : 완전히 자발적으로?

낭쌤 : 응. 그러니까 내 시간 다음에 영어 시간인데, 영어 수행평가가 단어 외우기야. 조심스레 손을 들어. '5분민 시간 주시면 안 돼요' '왜?' '영어 수행평가에 있어요' 그런 거지.

염쌤 : 그런 것도 있네. 맞네.

낭쌤 : 그러면 그럴 때 당신의 선택은?

염쌤 : 저는 그날 내가 뭘 해야 되느냐에 따라 다르죠.

낭쌤 : 그때그때 다르구만. 평쌤은 시간 줄 것 같아?

평쌤 : 저도 웬만하면 시간 남을 때 줄 것 같긴 해요.

낭쌤 : 이쌤은 안 줄 것 같은데?

이쌤 : 너무 고민되는데..

평쌤 : 매번 그러는 게 아니면 괜찮지 않아요?

이쌤 : 저는 언제 물어봤느냐에 따라 다를 것 같긴 해요. 만약 시작할 때 물어봤으면 줄 수 있을 것 같아요. 왜냐하면 수업 조절이 가능하니까. 근데 수업을 하고 있는데 갑자기 '선생님 좀 빨리 끝내주시면 안되요?' 이러면..

낭쌤 : 오늘 할 내용을 이만큼 갖고 왔는데 거기서 시간달라고 하면 틀어지니까.

염쌤 : 그거는 예의가 아니지.

이쌤 : 미리 얘기하면 줄 수 있는데, 그게 막 중간이나 끝부분에 그러면.. 안 돼. 이러기가 어렵긴 한데, 기분은 별로 좋지 않을 것 같아요.

낭쌤 : 나도 시간을 주긴 주거든. 근데 주면서도 약간은 좀 찜

찜한 게 그 시험을 보는 다른 반 애들이 그 전 수업 시간에 똑같이 시간을 받는 건 아니니까. 그게 좀 찜찜하더라고.

염쌤 : 그것도 찝찝하지. 보통 수행평가를 미리 공지하잖아요. 나는 이게 좀 의문이야. 왜 공지해야 할까?

낭쌤 : 그럼 어느 날 갑자기 봐야되는 건가?

염쌤 : 그냥 수행평가의 의미대로 수업하던 중에 어떤 수행이 필요하면 그냥 수행하고 그걸 평가하면 되잖아. 엄밀히 얘기해서 그게 과정 평가 아니야? 근데 왜 며칠 전에 공지 안 하면 큰일 날 일을 하는 것처럼 지금 시스템이 돼 있거든. 난 이게 사실 잘 이해가 안 가. 오히려 미리 공지해서 생기는 문제가 더 많은 것 같아.

낭쌤 : 그러면 공지해야 하는 수행평가는 없어?

염쌤 : 준비물이 필요한 수행평가겠죠.

낭쌤 : 준비물 필요한 거 말고

염쌤 : 그러면 없지 않나?

낭쌤 : 근데 국어과에서 만약 논술을 수행평가로 한다면 공지 없이 바로 주제 주고 쓰게 하면.. 아찔한데?

염쌤 : 잘 못 쓰겠지. 근데 그게 평가지. 실력에 대한 평가. 난 그게 더 맞는 것 같은데? 지금은 수행평가가 너무 호의적이야. 그러니까 평가라는 의미가 좀 떨어져.

이쌤 : 그냥 성적을 준다는 느낌?

염쌤 : 약간 그런 면이 많지 않나?

낭쌤 : 성실도 체크의 느낌으로?

염쌤 : 그렇죠. 근데 그런 성격을 가지면서도 태도에 대한 평가는 금지되어 있잖아. 예체능 교과도 아니고 무언가 수행하는 것을 평가하는 데 태도를 전혀 평가하지 못한다면 그냥 지필로 보면 되지, 굳이 과정 평가가 필요한가?

이쌤 : 그죠. 태도 점수 없어진 거 너무 놀라워.

염쌤 : 태도에 대한 평가 없이 어떻게 수행을 얘기해? 개인적인 생각에 이렇게 변한 건 계속 평가의 객관성에 대해 의문을 제기하는 악성 민원의 영향이 있었다고 봐요.

평쌤 : 근데 교사의 주관적 평가를 완벽히 신뢰하기가 힘들 것 같기도 해요.

낭쌤 : 그것도 그렇지. 사실 교사가 완벽한 건 아니니까.

염쌤 : 물론 그런 면도 있지. 지금 다시 예전처럼 태도 평가를 도입하기는 아마 어렵겠지. 좋은 수업 얘기하다가 너무 멀리 왔네요. 그러면 다음 주제로 넘어가죠.

수업 시간의 썰

염쌤 : 이번엔 '썰' 얘기 한번 해볼게요. 제가 예전에 들은 얘기로 인터넷의 선생님 커뮤니티에서 '수업 시간에 무슨 얘기를 하며 시간을 보내요?'라는 질문이 되게 많다고 해요. 실제로 저도 그런 생각을 했었고, 많이들 그런 생각을 하는 것 같아요.

그래서 썰 자체에 대해서 한 번 생각해보는 시간을 가지려고 합니다. '썰은 어디까지가 적당한가?', '썰의 긍정적 측면과 부정적 측면은 무엇인가?' 등등에 대해 자기 경험을 떠올리며 한번 얘기해 봐요.

우선 첫 번째 질문 '썰을 언제 풉니까?'

이쌤 : 저는 약간 시간에 따라서 푸는 것 같아요. 10분쯤 지났을 때 하나 풀고, 한 25분쯤 지났을 때 하나 풀고.

낭쌤 : 도라에몽이다.

이쌤 : 애들이 약간 주제를 어려워하는 게 느껴질 때쯤 그 주제랑 비슷한 썰을 하나 만들어 놔서 그때 푸는 거 같아요.

염쌤 : 엄청 계획적이네. 그 썰은 주로 어떤 썰이에요?

이쌤 : 주로 제 사생활과 관련된 썰인데 듣고 나서 마지막에 수업 개념을 이해할 수 있는 그런 거요. 제 과목이 윤리라서 가능한 것 같아요. 일상생활의 일로 개념을 풀 수 있는.

염쌤 : 윤리는 썰이 중요한 도구 중 하나네요.

이쌤 : 근데 애들이 딴 얘기하는 줄 알고 집중도 하고 잠도 좀 깨고 웃기도 하는 측면은 긍정적인데, 오히려 썰을 이해 못 해서 수업 개념을 이해 못 하는 부정적인 경우도 있더라고요. 물론 썰을 안 풀어도 이해 못 했을 수 있었겠지만, 썰에서 약간 멘붕이 온 표정을 보면 약간 스스로 수업 방식에 의문이 들죠.

염쌤 : 썰이 그렇게 어려울 수가 있어?

이쌤 : 그렇죠? 미리 준비해서 그런가?

평쌤 : 그럼 모든 수업에서 똑같은 시간에 똑같은 썰을 푸는 거예요?

이쌤 : 예. 그래서 다른 반 애들끼리 얘기도 가능해요.

낭쌤 : 빼먹으면 큰일 나. '선생님, 3반에서는 얘기해줬는데 왜 얘기 안 해요?' 하면서 원성이 자자 해.

염쌤 : 형은 썰을 언제 풀어?

낭쌤 : 처음에는 진짜 나도 막 풀었지. 그냥 수업하다가 중간에 관련되는 거 있으면 무조건 얘기하고. 아니면 애들이 질문할 때가 있어. 질문하면서 '선생님 오늘 좀 재밌는 얘기해주세요.'라고 하면 '네가 주제를 정해봐라.'라고 하고, 해달라는 얘기 해주지. 군대, 첫사랑 같은 거. 근데 썰을 한번 시작하면 내가 주체가 안 되더라고. 그래서 그건 조금 고쳤지.

이쌤 : 신나서 주체가 안 된 거예요?

낭쌤 : 응, 신나서. 군대 얘기하다 보니 종이 딱 쳐. 그러니까 애들이 어느 날부터 질문을 많이 해. 그래서 내가 필 받으면 안 되겠다, 생각해서 조금씩 의도적으로 줄이기도 하고.

하여튼 썰 풀면서 분위기도 좋게 하고, 자던 애들도 좀 깨우고 그럴 수 있으니까, 옛날에는 얘기를 많이 해줬지. 약간 슬픈 거는 한 30대 후반 정도? 그때부터 느꼈는데 애들이랑 공감대가 슬슬 사라지더라고. 그러니까 내가 하는 이야기는 되게 먼 이야기야. 그리고 40대 좀 넘어가니까 학부모랑 나이가 비슷해지고. 그러다 보니까 솔직히 풀 수 있는 썰도 막 줄어드는 거 같아. 그리고 여학교라서 군대 얘기도 안 되고, 말 한 번 잘못했다가는 큰일 나고. 조금 움츠러들지. 그래도 긍정적인 건 썰을 못 푸는 대신 수업에 더 집중하게 된 것 같긴 해.

염쌤 : 이거 공감되네.

낭쌤 : 약간 의기소침해진 그런 느낌?

염쌤 : 옛날에 애들이 썰을 듣고 싶어 했던 이유 중에 하나가 수업하기 싫어서 그런 것도 컸거든요. 근데 요즘에는 어차피 수업을 안 듣는 애들은 안 들으니까, 썰을 필요로 하지 않아요. 그리고 수업을 안 듣는 거에 대해서 별로 미안함이나 그런 게 없어. 그래서 안 하게 돼.

염쌤 : 그리고 썰을 얘기한다는 게 대부분 내 이야기를 하는 거잖아. 그러니까 나에 대한, 나의 세계를 조금 열어주는 건데, 그게 별거 아니지만 좀 친해지는 느낌이 있거든. '선생님, 옛날에 이랬다면서요.'라고 하면서 자연스럽게 인간적인 교류를 하는 느낌이 있는데, 수업에서 썰이 사라지고 나서는 확실히 학생들이 더 멀게 느껴지는 것 같아.

그래서 진짜 서비스하는 느낌? EBS 강의에서는 썰 안 풀잖아. 내 수업이 약간 그렇게 된 거야. 그래서 아쉬워.

낭쌤 : 그럴 나이가 시작된 거지.

평쌤 : 저는 요즘 제 개인적인 썰을 거의 얘기 안 하는 것 같아요. 사실 중학교에 있을 때는 나이 차가 그렇게 크지 않아서 남자애들이랑 얘기하면 되게 재밌었거든요. 근데 여학교 오고 나서는 조심스러운 부분도 너무 많고, 나중에 문제가 될 수도 있을 것 같아서 굳이 안 하려고 해요.

그리고 애들도 잘 안 물어봐요. 선을 잘 지키고, 가끔 친해진 애들이 물어보면 조금씩 얘기해주는 수준인 것 같아요. 그나마 다행인 거는 역사과가 교과적으로 재밌는 썰을 풀 게 많잖아요. 굳이 내 얘기를 안 해도 수업 시간에 썰은 무조건 있어야 한다고 생각하거든요. 그래서 수업에 관련된 재밌는 썰을 많이 공부해서 가는 거죠. 애들이 재미없어할 때도 있지만.

평쌤 : 아무튼 웬만하면 제 얘기는 잘 안 하는 것 같습니다. 그러니까 애들이 가끔 뭐라 하더라고요. 왜 다른 선생님들은 얘기해주는 데, 선생님은 안 해주냐고. 신비주의냐고.

염쌤 : 나한테는 궁금해하지 않는다니까. .

낭쌤 : 난 썰 풀다가 가끔 욕이 나오거든. 그래서 잘 못해.

염쌤 : 이쌤 한테는 개인적으로 애들이 막 질문을 해?

이쌤 : 네, 물어봐요. 제가 항상 딜레마적으로 질문을 던지거든요. 전 남친? 약간 이런 얘기를 하면서 윤리로 넘어가는데, 그러면 애들끼리 막 논쟁이 붙어요. 근데 제가 결혼하고 나서 남편으로 바뀌니까 애들이 싹 재미없어하더라고요. 결혼 이후로 남친을 남편으로만 똑같이 바꾼 건데 애들이 재미없어해요. 그래서 약간 고민 중이에요. 썰을 줄일까?

낭쌤 : 사이버 남친?

이쌤 : 진짜 정말 재미없어해요. 똑같이 했는데, 똑같은 상황에.

염쌤 : 이입이 안 되는 거지.

이쌤 : 맞아, 애들이 이입이 안 되는 거예요. 그렇다고 제가 남편을 남친이라 할 수는 없고.

낭쌤 : 이제는 결혼했으니까 끝이다. 그건가?

염쌤 : 과거 형으로 얘기하면 되지.

낭쌤 : 옛날에 남친이었을 때 이랬는데 그러면, '쌤, 헤어져요.' 라고 할 수가 없잖아. 그럼 수업이랑 남친은 어떻게 연결하는 거야?

이쌤 : 저희가 공감과 이성에 대해서 가르치는데 그러면 관련된 상황을 들려주는 거죠. '내가 남친한테 배가 아프다고 했어, 거기서 남친이 '괜찮아?' 라고 물어보면 내가 화가 나, 안 나?' 약간 애들한테 이런 식으로 물어보는 거죠.

염쌤 : 정답이 있어?

이쌤 : 정답은 없지만 저 같은 경우에는 약간 화가 나죠. 내가 배가 아프다고 했어, 근데 '괜찮아?'라고 물어보면. 안 괜찮지.

평쌤 : 그럼 뭐라고 해요?

이쌤 : 그러니까 내가 배가 아픈데..(웃음)

염쌤 : 순간적으로 3명 다 벙찐 거 알지?

이쌤 : 안 괜찮으니까 배가 아프다고 얘기를 한 건데.

낭쌤 : 그 뒤에 뭐 없어?

이쌤 : 그 뒤에요?

낭쌤 : '괜찮아? 병원 갈까?'

이쌤 : 그렇게 하면 괜찮죠

낭쌤 : 그냥 '괜찮아?'라고 하고 끝이면 문제고?

이쌤 : '괜찮아?'하고 끝이면 문제죠.

염쌤 : '화장실 갔다 와.' 이거는 어때?

이쌤 : 아니 안 돼.

낭쌤 : '야, 똥이다.'

이쌤 : 안 돼!! 그건 안 돼. 아무튼 그런 걸 하면서 공감이 중요하다고 생각하는 학자가 있고, 이성이 중요하다고 생각한 학자가 있다, 이런 식으로 수업을 들어가는 거죠.

염쌤 : '괜찮아?'까지 하면은 공감이 아닌 거야?

이쌤 : 공감인 거죠.

염쌤 : 어? 근데 왜 화가 나지?

이쌤 : 저는 공감이 중요하다고 생각하지 않으니까.

염쌤 : 그럼 뭐가 중요한 거야?

이쌤 : 해결책, 약을 준다든지.

평쌤 : '약 사다 줄까?' 이렇게요?

이쌤 : 아니, 사다 줘야죠.

평쌤 : 아, 물어보지 말고, '사다 줄게.'

이쌤 : 아니, 그냥 얘기도 하지 말고 갖고 와야죠.

염쌤 : 윤리 좋네. 진짜 자연스럽게 얘기 많이 할 수 있겠다. 길게 얘기했는데 썰에 대한 결론이 뭘까?

이쌤 : 나이가 지나면 하기 힘들다?

염쌤 : 사실 수업 시간이 수업 내용만으로 채워지는 것은 아니니까, 잘 배우기 위한 어떤 공백 아닌 공백이 있잖아. 그때 썰이든 활동이든 하는 거고, 그런 거잖아요. 근데 갈수록 썰을 풀기 힘들어지는 현실에 좀 안타까움을 느끼죠. 왜냐하면 실제로 민원이나 고소당하는 사례 중에 썰 풀다가 그런 경우가 많으니까. 진짜 심각한 문제도 있겠지만 의외로 별 생각 없이 한 얘기들도 많은데, 그런 게 문제가 되는 사례가 쌓이니까 전체 교사들이 좀 위축되고 그런 것 같아. 과거에 비해 썰에 대한 허용치가 낮아지고.

이쌤 : 위험 부담은 커졌죠.

염쌤 : 아무튼 그래도 수업 시간에 썰은 있어야 할 것 같아요. 일종의 수업에서 조미료 같은 거니까, 감칠맛 나는 수업을 하려면 아무래도 필요하겠죠. 썰 얘기는 여기까지 합시다.

수업을 안 들을 권리

염쌤 : 이번에는 '수업을 안 들을 권리가 있는가?'에 대한 주제입니다. 학생의 학습권이 강조되는 시대인데, 학습권 속에는 학습을 안 할 권리까지 포함인가?

낭쌤 : 나는 애들이 공부 안 할 권리도 있다고 생각을 해. 그러니까 예전에는 수업 시간에도 선생님들이 학생들을 상담한다고 데려가고, 행사한다고 데려가고 그런 일이 많았어. 근데 요새는 학습권 때문에 이게 안 되잖아. 애를 불러서 상담할 게 있어도 수업 시간에는 절대 안 되고. 근데 교실에 앉아 있는 애 중에 학습을 원하지 않는 학생들도 분명히 있잖아.
그래서 수업하다가 그런 아이들이 눈에 보이면 개인적으로 접촉해서 이것저것 물어보고, 정 공부가 필요 없으면 너한테 좀 도움이 될 만한 거를 하라고 하지. '네가 하는 거는 선생님이 놔둘게, 그러니까 좀 필요 한 걸 해봐. 책을 읽어도 좋고 뭐 해도 좋다.' 이런 식으로. 그러면 준비해서 하는 애도 있고, 그냥 여전히 멍하게 있는 애도 있고. 솔직히 전혀 변화가 없는 애는 내 의지로 할 수 있는 게 없더라고. 내 의지를 투사하면 폭력적일 수밖에 없으니까.

평쌤 : 흠.. 공부를 억지로 시키는 것도 폭력적일 수 있겠네요.

낭쌤 : 내가 시를 분석해서 가르쳐주고 문제 풀이를 해주는 게 애가 살아가면서 얼마나 필요할까, 라는 생각이 들어. 근데 '공부를 안 할 권리'가 있어도 교실에는 앉아 있어야 하니까, 어떻게든 다른 걸 할 수 있도록 애들을 이끌어 보지.

근데 다행히 그런 친구들이 딴짓한다고 해서 다른 학생들이 동화되지는 않더라고.

염쌤 : 형은 학생이 공부를 안 할 권리가 있다고 생각하고, 그 시간이 아까우니까 자기를 위해서 시간을 쓰도록 안내한다는 거죠.

이쌤 : 근데 저 여기에 약간 좀 비슷한 질문인 것 같아서 이거 하나 여쭤봐도 돼요? 만약에 딱 수업에 들어갔는데 엎드려 있는 애가 있으면 어떻게 하세요? 그냥 계속 자려고 해요.

낭쌤 : 깨워.

이쌤 : 깨웠는데, 다시 또 엎드리면?

낭쌤 : 깨워.

이쌤 : 계속 깨워요? 계속?

낭쌤 : 일단은, 시작은 깨워야지.

이쌤 : 애가 아프대요. 근데 매번 그래요. 그런 아이라면?

염쌤 : 습관적으로 엎드리는 아이?

이쌤 : 전 아직도 모르겠어요. 어떻게 하는 게 맞는 건지.

염쌤 : 평쌤은 어떻게 해?

평쌤 : 저도 처음에는 깨우는데 걔가 습관적으로 그러는 것 같으면 굳이 안 깨워요.

이쌤 : 저도 안 깨우는데... 이게 잘못인 것 같기는 한데, 저는 자는 애를 깨우면 그 학생을 깨우느라 수업의 흐름이 끊긴다고 생각하거든요. 그래서 열심히 수업 듣는 애들한테도 피해가 간다고 생각해요. 약간 자기합리화이긴 하지만.

그리고 두 번째로 그 학생이 잠을 자기로 선택한 거잖아요. 내 수업보다 잠이 더 중요하다고 생각해서 선택한 건데, '내가 깨울 수 있나?'라는 생각이 들어요. 엄청 피곤할 수도 있는 거니까.

낭쌤 : 그럴 수 있긴 하지.

이쌤 : 걔가 뭐 환경이 어떤지는 모르니까. 진짜 밤새 못 잤을 수도 있고. 근데 내가 담임이 아니니까 일일이 불러서 상담하기에는 좀 너무 과한 것 같고. 그래서 되게 고민하다가 안 깨우는 편인데 다른 분들은 어떻게 하시는지 궁금했어요.

염쌤 : 요즘에는 '안 깨운다.'보다 '못 깨운다.'가 맞는 것 같아. 아주 피곤하거나, 습관적으로 엎드리거나, 그런 학생들의 잠을 깨울 방법이 없어. 그러니까 못 깨우는 거지.

도대체 어떻게 깨워? 옆에 가서 '일어나.'라고 말하는 것밖에 없는데. 말 안 들으면 더 이상 뭘 할 수도 없고, 분위기도 이상해지고. 오히려 갈등 상황이 생겨서 곤란해지고. 그러다 보니 깨우는 것, 그 자체를 피하게 되는 것 같아. 괜히 자는 학생을 깨움으로써 교사 스스로 갈등 상황을 만드는 꼴이 되니까.

평쌤 : 맞아요. 요즘 잠 깨우는 선생님들은 대단하신 것 같아요.

염쌤 : 나는 '공부를 안 할 권리'라는 걸 떠나서 공부라는 게 정신적인 작용이다 보니까 실제로 하고 있는지, 안 하고 있는지 확인할 방법이 없거든?

이쌤 : 그렇긴 하죠.

염쌤 : 안 자지만 눈만 뜨고 딴생각한다고 학습하는 건 아니니까. 그래서 권리의 문제를 떠나서 멀쩡히 앉아 있어도 공부를 안 하고 있다면, 자는 학생이랑 무슨 차이가 있을 것이며, 오히려 교사가 인지하기 쉽게 대놓고 엎드려 자는 학생을 특별히 다른 학생보다 더 신경 써서 조치해야 할 이유가 있을까? 그런 의문이 들어.

평쌤 : 그럼 어떻게 해요?

염쌤 : 저는 제 수업 시간에 진짜 수업에 관심 없어서 다른 걸 한다면, 크게 제지하지 않아요. 물론 잘못된 거죠. 한 번은 애들한테 '나는 이제 교사의 자격을 잃었다.'라고 얘기했어요. 너희를 깨우는 게 맞다고 생각하지만, 깨울 자신이 없다. 그래서 나는 교사의 권리를 포기한 거고, 교사로서 자격을 잃은 것 같아. 이런 식으로 말했죠.

이쌤 : 그럼 애들 반응이 어땠어요?

염쌤: 사실 수업을 잘 듣는 학생한테 하는 얘기가 아니라 안 듣는 학생한테 얘기하는 거잖아. 근데 수업을 안 듣는 학생은 그 말도 안 들어서 별 의미가 없더라고.

낭쌤 : 하긴 그래서 수업 시간 잔소리하면 열심히 하는 애들만 듣고 있어서 미안해져.

염쌤 : 그죠. 아무튼 제가 느끼기에 '수업을 안 할 권리'는 학생들이 이미 충분히 누리고 있는 것 같아. 오히려 너무 적극적으로 행사하고 있어서 문제인 것 같고. 한편으로는 '학생들이 학습할 의무가 있음을 자각하고 있는가?'라는 의문도 있어. 의무를 이행하지 않는 권리는 좀 곤란하잖아. 국가가 많은 예산을 들여서 학습의 기회를 제공하는 이유를 너무 개인 차원으로만 해석하고 있다는 생각도 들고. 당장 눈앞의 목표와 필요에 의해서만 학교 공부를 바라보는 경향이 강한 것도 문제 같고. 최소한 공교육에서 다루는 건 언제 쓸지 모르지만 삶을 살아가며 필요한 가장 기초적인 능력인데, 사람들은 맨날 '이걸 배워서 어디에 써?'라고 물어본단 말이지. 그건 그 상황이 닥쳐야 알 수 있는 건데. 그래서 저의 최소한의 믿음, 기본 전제는 공교육은 학생이 원하든 원하지 않든, 진로와 관련이 있든 없든, 그냥 교양 있는 삶을 위한 최소한의 능력치라고 생각해요. 그래서 '학습을 안 할 권리'는 없는 게 맞다고 생각합니다. 안 한다고 어찌할 수는 없지만.

낭쌤 : 국어는 살아가는 데 있어서 중요한 도구이긴 해. 근데 고등학교 국어를 안 해서 사회생활에 크게 지장이 있다는

생각은 안 들거든. 조금 더 심오하게 내용을 이해하고 토론하는 정도는 안 되겠지만, 일상생활에는 문제가 없어. 고등학교 정도까지 왔으면 최소한의 국어 능력은 갖추고 있다고 생각해.

염쌤 : 지금 말 한 일상생활이라는 게, 먹고 마시고 싸는 정도의 거의 조선시대 일상생활이잖아요. 근데 현대 사회에서 학생들이 취직하는 일반적인 일자리에서 충분할 만큼의 언어 능력이 고등학교 때 갖춰져 있지는 않은 것 같은데?

이쌤 : 맞아요. 그 정도는 아닌 것 같아요.

염쌤 : 그러니까 그 충분함은 정말로 낮은 수준의 충분함이지.

낭쌤 : 낮은 수준이라기보다는 그냥 생활 가능한 수준.

염쌤 : 그러니까 가게 가서 자기가 먹고 싶은 거 살 수 있는 정도의 능력이잖아. 그냥 그게 과연 충분하고 할 수 있는가?

낭쌤 : 더 공부가 필요한 아이들은 자기가 알아서 하거든. 그런데 '나는 여기까지만 필요해요.'라고 하는 애들을 더 잡아끌고 가는 게 맞나 싶은 거지.

염쌤 : 그러니까 내 말은 '필요하다.'는 사실을 그 나이대 학생들이 정확히 알 수 있냐는 거지. 고등학생이 자기가 나중에 어디까지 언어 능력이 필요할지 어떻게 알아?

낭쌤 : 모르긴 하지. 근데 지금은 대학으로 귀결되니까.

염쌤 : 근데 우리가 알잖아. 대부분의 사회생활을 하는 사람들에게 지금 그 정도는 너무 미약하잖아. 고교학점제도 좀 맹점이 있는 게, 학생이 뭘 안다고 과목을 선택할까? 아무리 과목에 대한 정보를 들어도 그건 정확히 그 과목을 아는 게 아니거든. 근데 선택은 알고 하는 거지, 모르고 선택하는 것은 사실 선택이 아냐. 그냥 찍는 거지.
　어떤 학문을 알려면 그 학문을 일정 경지 이상 공부해야 하는데, 자신의 진로와 맞는 선택권을 준다는 명분으로 그냥 무책임하게 내모는 느낌이 강해. 저는 모든 분야에 대해 일정 수준 이상으로 학습이 필요하다고 생각해요. 상대평가에 의한 입시 체제에서 학습량 감축 명분도 거의 효력이 없잖아요. 그러니까 선택이라는 명분으로 학생한테 떠넘기지 말고 국가가 욕을 먹더라도 학습의 의무를 강조할 필요가 있다고 생각합니다.

낭쌤 : 옛날에는 학습의 의무를 많이 강조했지.

염쌤 : 옛날에는 반대 측면이 너무 강해서 학습의 의무만 강조하는 사회였다면 지금은 아무런 의무 없이 권리만 강조하니까. 중간 점을 찾기가 쉽지 않겠지만, 제가 볼 때 우리 사회는 교육에 있어서 양극단 한 번 왔다 갔다 한 것 같아서 이제는 중간을 찾을 수 있지 않을까 생각해요.

수업을 방해하는 학생에 대한 대처

염쌤 : 그럼 이번에는 수업을 방해하는 학생에 대한 대처에 대한 질문이네요. 요즘 뜨거운 이슈네요. 한 번 자신의 경험을 얘기해 볼까요? 나는 이런 학생까지 만나봤다.

이쌤 : 저는 활동형 수업인데 책상을 동그랗게 만들어 놓고 다 같이 일어나야 하는 수업이었어요. 일어나서 동그라미를 계속 돌아다니면서 그림도 찾고 뭔가 문제를 맞히는 수업이었거든요. 그래서 애들끼리 돌아다니면서 막 활발하게 하고 있는데 한 명이 안 일어나는 거예요. 엎드려 있어요.
그래서 가서 '왜 안 해? 일어나자.' 했는데. '아..' 이렇게 반응하는 거에요. '왜 어디가 아파?' 그랬더니 아픈 건 아니래요. '그러면 일어나서 해야 하지 않을까?'라고 했는데 하고 싶지 않대요. 그때부터 진짜 어떻게 해야 할지 모르겠고, 너무 당황스러운 거예요. 그래서 '그럼 계속 여기 앉

아 있을 거야?'라고 했더니 앉아 있고 싶지도 않대요. '그러면 뭘 어떻게 하고 싶은데?'라고 물어보니까 보건실에 가야겠대요. 근데 아프지도 않은데 보건실에 보내기가 좀 그렇잖아요. 결국에는 보건실에 가긴 갔어요. 왜냐면 걔가 거기 앉아 있으니까 다른 애들도 걔를 약간 무서워하고, 애들이 그쪽으로는 가지도 못하고 해서 수업이 안 됐거든요. 저는 어떻게 하지도 못하고. 그 이후로 활동형 수업이 있을 때는 그 학생이 아예 학교를 안 나왔으면 좋겠다는 생각까지 들더라고요.

염쌤 : 무조건 '안 해요.', '못해요.'라고 한 거구나.

이쌤 : 너무 힘들었어요. 어떻게 해야 현명한지 아직도 모르겠어요.

평쌤 : 최악이네요.

염쌤 : 평쌤은 어느 정도까지 만나봤어?

평쌤 : 제가 아직 경험이 많지 않아서. 근데 저는 처음 교사가 됐을 때 일단 교사라면 내 수업만큼은 내가 온전히 통제할 수 있어야 한다고 많이 생각했거든요. 처음 발령받은 중학교에서 막 괜히 막 으스대는 남자애들 있잖아요. 처음에는

되게 강압적으로도 해보고, 강압적으로만 하면 또 안 되니까 달래도 보고 했었던 기억이 나네요.

한 번은 딱 수업을 들어갔는데 애들이 너무 시끄러워서 조용히 하라고 했어요. 근데 맨 뒤에 앉아 있던 반항기가 있는 애가 잘 들리게 욕을 하는 거예요. 너무 화가 났지만 거기서 또 이렇게 뭐라 할 수는 없으니까, 밖으로 나오라고 했죠. 저도 화가 많이 난 상태여서 막 뭐라고 했어요. 근데 얘도 눈을 부릅뜨고 있더라고요. 그래서 안 되겠다는 생각이 들어서 약간 자제를 시켰죠. 내가 너를 미워하는 게 아니지 않냐면서 달래주니까 바로 풀리더라고요. 애가 선생님께 그런 게 아니라 애들한테 욕한 거라고 하면서 죄송하다고 하니까 저도 풀어져서 좋게 끝났죠.

이쌤 : 다행이네요. 더 감정적으로 진행되는 큰일이잖아요.

평쌤 : 그런 적도 있어요. 보통 말 안 듣는 애들은 수업 시간에 자잖아요. 처음에는 그 꼴이 보기 싫어서 맨날 깨웠어요. 근데 계속 자길래 마지막으로 물어봤죠. '앞으로는 내가 너를 그냥 안 깨울게, 너를 이제 포기할게. 괜찮겠어?'라고 하니까 그건 또 아니래요. 어떻게 하라는 건지 모르겠는데 결국엔 그런 상태로 졸업했습니다.

이쌤 : 힘들었을 것 같은데.

염쌤 : 사실 다양한 형태로 수업을 방해하는 애들이 많지. 계속 쓸데없는 질문을 하거나 일부러 말을 끊거나. 아니면 그냥 자거나 딴짓하거나 자기들끼리 속닥거리고. 근데 적절한 대처는 딱히 없는 것 같은데?

이쌤 : 뭐야, 답이 없어.

염쌤 : 그러니까 그런 것 때문에 그런 빌미를 주는 수업을 점점 안 하게 되는 것도 있는 것 같아.

이쌤 : 맞아요. 그래서 참여형 수업을 못 하겠더라고요.

염쌤 : 과학은 실험 같은 거 많이 하는데 일단 모둠 짜는 것부터가 문제야. 잘하는 학생들이 골고루 있으면 좋겠지만 항상 구멍은 있기 마련이고, 그 구멍을 또 피하기 마련이고, 그 와중에 계속 불평불만하고. 잘하는 애도 불만, 못하는 애도 불만. 그래서 웬만하면 난 그냥 번호순으로 모둠을 편성해. 그래도 말은 나오지만.

낭쌤 : 나도 예전에는 '수업 방해다.'라고 생각하는 게 상당히 많았거든. 거짓말하고 버릇없게 구는 걸 제일 싫어했는데 그런 애들은 좀 과격하게 혼냈지. 그리고 꼭 내 수업에 그러지 않아도 담임하면 우리 반 얘기도 많이 들리고.

이쌤 : 맞아요. 선생님 반 학생이 어떻게 했어요.

낭쌤 : 그리고 애들이 선생님 성별에 따라 다르게 행동하기도 하고. 그럼 나는 계속 따로 불러서 지도하고 그랬는데 그러면서 깨달은 게 수업 방해를 한다고 바로 그 자리에서 학생을 지도하면 안 되겠다는 거예요. 학생의 눈이 이미 돌아가 있는 상태라서 일단 진정시킨 후 따로 불러서 얘기해야 하더라고. 특히 남학생 같은 경우는 그 자리에서 혼나면 자존심 상해서 부작용이 더 크더라고.

평쌤 : 저도 그랬던 것 같아요.

낭쌤 : 그리고 나는 학생들에게 선을 좀 알려줘. '선생님의 선은 여기까지다. 이건 꼭 지켜달라. 너희들 나이면 이 정도의 예의는 알 거다.' 그러면 학생들도 수긍해서 수업 방해라고 할 만한 행동은 거의 안 하더라고. 물론 학습의 의지가 없는 학생은 있지만. 그런 학생들도 내가 아이를 낳고 나서는 좀 달라 보였어. 이해되더라고. '그래, 그럴 수 있지.' 이 정도의 느낌? 그래서 점점 화도 잘 안내게 된 것 같아.

염쌤 : 나는 우리 애가 집에서 최대한 빨리 잠들었으면 좋겠거든. 근데 수업 시간에 자는 학생을 보기 싫어하는 나를 보면 좀 아이러니해.

낭쌤 : 졸리면 잘 수도 있지만 '그래도 한번 깨워볼까?'라고 생각하는 것도 맞지 뭐.

염쌤 : 근데 처음에 얘기했던 활동 수업에서 아무것도 안 하는 학생이 있으면 수업 진행이 안 되는 것도 사실이니까. 그럴 때는 어떻게 해야 할지 좀 애매한 것 같긴 해. 그렇다고 아예 활동형 수업을 안 하는 게 해법일 수는 없으니까.

낭쌤 : 진짜 그게 답이 없네.

염쌤 : 그건 진짜 답이 없긴 해. 그냥 보건실 가는 게 맞나?

이쌤 : 전 그때 이 문제를 해결하려고 모든 수업 차시에 참여형 수업을 만들어 놓고 그 학생이 없을 때만 적용했어요. 그래서 준비하고 못 한 활동도 되게 많았는데, 그래도 활동형 수업을 하고 싶어서 그런 식으로 했었죠.

낭쌤 : 걔는 다른 애들이랑 전혀 안 놀았어?

이쌤 : 예, 항상 혼자 있었어요.

염쌤 : 흠.. 근데 그렇게 해도 교사로서 엄청 찝찝하잖아.

이쌤 : 그렇죠. 그 학생 때문에 제가 회피하는 거니까.

염쌤 : 힘든 일이야. 난 보통 화가 나는 상황에서는 힘이 빠지는 것 같아. 그러면 일단 수업을 멈춰. 수업이 안 되니까.

말이 나와서 말인데 요즘엔 '수업 정지'가 필요하다고 생각해. 워낙 선생님께 무례한 일들이 많으니까. 그리고 상황이 조금 더 심하다면 '수업 이탈'도 필요하다고 생각해. 교사는 어떤 상황에서도 교실을 지켜야 한다고 말씀하시는 분들이 있는데 그건 아닌 것 같아. 교사도 위험하다고 판단되면 도망가는 게 맞아. 그 순간 임장 지도를 안 한 것이 엄청난 잘못이라 말하는 건 너무 과도한 처사지.

근데 좀 웃긴 건 예전에는 내가 수업을 정지하면 학생들이 눈치도 보고, '죄송해요'라고 얘기도 하고 그랬는데 요즘에는 그냥 자기가 할 것 하다고 종치면 그냥 나가. 그러니까 교사의 감정 상태에 대해 관심이 없는 거지. 그러면 나는 그런 생각이 들어. '진짜 그냥 손님이구나. 나에게 주어진 시간이 끝났으니까 그냥 가는구나.' 허탈하지.

낭쌤 : 그냥 분필 잡고 칠판에서 미네랄 캐는 사람인가.

염쌤 : 그렇죠. 자기가 도와달라 부탁해서 안 해도 될 걸 준비해서 갔는데 막상 안 듣고 딴짓하는 학생을 보고 있으면 참 뭔가 싶죠. 이미 늦은 것 같긴 해요. 어떻게 하겠어.

이쌤 : 안 그런 애들도 있으니까요.

염쌤 : 그렇지. 그 친구들 보며 사는 거지. 그러니까 좋은 것만 보려고 노력해야 해. 안 그러면 우울해.

낭쌤 : 근데 사실 좋은 학생들이 더 많아. 그리고 나는 지금 학교 왔을 때 학생들이 다 괜찮더라고.

평쌤 : 맞아요. 우리 학교 학생들은 참 착한 것 같아요.

염쌤 : 나도 우리 학교 학생들이 별로라고 한 건 아냐.(웃음)
아무튼 '교원의 학생 생활지도에 관한 고시'처럼 수업 시간에 지도하는 건 현실성이 없는 것 같아요.

낭쌤 : 교실 밖으로 학생 내보내는 거?

염쌤 : 예, 수업 시간에 교실 밖으로 분리하라는 데 그건 그런 지도를 했을 때 그 학생이 말을 듣는다는 전제가 있는 거잖아요. 근데 엎드려 있는 애를 일어나게 하는 것도 불가능한데 교실 밖까지 어떻게 보내겠어요.
아무튼 이 문제는 다음에 얘기하고, 이번 주제는 마무리하겠습니다. 그래도 수업 열심히 해봅시다.

수업 시간에 감동한 경험

염쌤 : 답이 없는 문제는 내버려 두고, 이번에는 좀 좋은 얘기 해봅시다. 학생에게 감동한 경험이 없을 것 같지는 않아요. 한 번 경험을 얘기해주세요. 저 같은 경우에는 부담스러운 눈빛으로 고개를 끄덕이는 학생들?

이쌤 : 그런 애들 너무 예쁘지 않아요?

염쌤 : 예쁘긴 한데, 너무 그러면 부담스럽기도..(웃음) 또 그런 것도 있어. 발표할 때. 뭐 특별한 발표를 해서가 아니라 그냥 발표할 때 감동스러워. 왜냐하면 강제로 안 시키거든. 대부분 '발표할 사람만 해, 생기부도 안 써줘.'라고 하거든. 해도 되고 안 해도 되서 거의 잘 안 하는데 가끔 자발적으로 발표하는 친구들이 있어. 그때 그 학생들이 멋져 보이고, 그 자체가 감동을 주는 면이 있어.

평쌤 : 저는 일제강점기 수업을 할 때, 되게 몰입해서 수업하거든요. 근데 애들이 저의 감정에 동화되는 느낌을 받을 때가 있어요. 분노도 하고 울기도 하고. 그럴 때 보면 얘네가 내 수업을 진심으로 이해하고 있다는 생각이 들면서 어른스럽게 느껴지고, 감동스러웠죠.

염쌤 : 멋있네. 그런 게 느껴진 것도 참 신기한 경험일 것 같아.

낭쌤 : 나는 되게 특별한 사건이 있는 게 아니라 아이들이 나랑 티키타카가 됐을 때? 나를 또 바라보면서 대화하고, 발표든 아니면 같이 잡담하면서 서로 주고받는 이야기든 서로 교감을 한다는 느낌이 들 때 좀 감동이긴 하지.

그런 것 말고는 좀 세속적인 거긴 하지. 스승의 날이었거든. 우리 반 애 하나가 위탁생이었는데 조리학원에 다녔어. 근데 스승의 날이라고 학교에 왔는데 얘가 교실을 완전 세팅 한 거야. 요리복까지 입고 와서, 레드카펫을 쫙 깔아놓고 책상 끝에 케이크랑 와인을 준비하고. 그러니까 나를 생각해서 그렇게 준비했다고 생각하니 조금 짠하더라고.

염쌤 : 기특하죠. 선생님을 웃기려고 풀 세팅하고.

낭쌤 : 너무 좋더라고.

염쌤 : 담임을 해야 또 그런 이벤트가 있지.

낭쌤 : 애들이랑 롤링 페이퍼 주고받는 것도 좋았지.

염쌤 : 맞아. '선생님, 오늘 수업 너무 재밌었어요.' 이런 쪽지 같은 것도 사실 굉장히 감동적이야.

염쌤 : 교사도 사람이니까 그런 피드백이 사실 꽤 큰 힘이 돼.

그놈의 김영란법이 교사를 죄인 취급하고, 감사 쪽지도 무슨 청탁 취급하니까 자긍심이 더 떨어졌어. 내가 봤을 때 마음을 주고받는다는 건 정말 필요한 일이야.

낭쌤 : 나는 편지 받으면 나도 답장을 써줘. 거기에 조그만 간식 같은 것도 붙여서 주고. 나는 답장을 해주는 게 좋다고 생각해. 걔한테도.

염쌤 : 좋은 것 같긴 한데 딴 애들이 시기하지는 않았어요?

낭쌤 : 응, 도움을 원하는 자에게 도움을 준다.(웃음) 편지 받았는데 답장해 줘야지. 그렇다고 되게 정성스레 이만큼 적어주는 건 아니고, 간단하게, '편지 잘 받았어. 잘 지내지?' 이 정도 물어보는 거야. 근데 생일 같은 날 진짜 많이 써서 주는 선생님들도 계시더라. 학급 일기 쓰시는 분도 계시고. 애들이 쓴 일기에 코멘트도 부지런하게 다 쓰시고.

염쌤 : 일기에다가?

이쌤 : 맞아요. 일기에 일일이 코멘트 다 달아주셔요.

낭쌤 : 그게 상당히 피곤하고 힘든 일인데 대단하지.
평쌤 : 학급 일기가 뭐예요?

낭쌤 : 약간 모둠 일기로 운영하시던데? 모둠별로 돌아가면서 일기를 쓰고, 제출하는 거지. 그러면 거기에 답장하고. 선생님이 주는 피드백에 감화되는 애들이 꼭 있거든. '나를 이렇게 신경 써 주시는구나.'라고 생각하면서.

염쌤 : 나도 예전에는 많이 했는데 지금은 할 생각이 없어.

낭쌤 : 왜? 지금 할 생각 없어?

염쌤 : 음.. 나는 뭔가 일기에 선생님이 코멘트를 다는 게 좀 이상한 느낌이에요. 그리고 너무 귀찮고 힘든 일이야.

이쌤 : 선생님답네요.

염쌤 : 그거 욕이지? 나는 단체로 주는 건 괜찮은데 개인적으로 쓴 편지에 답장을 하는 건 좀 망설이게 돼.

이쌤 : 약간 차별로 느낄 수 있으니까? 그런 거 있어요.

염쌤 : 응. 그런 측면이지.

이쌤 : 저도 단체만 답장만 했던 것 같아요.

염쌤 : 얘가 나한테 편지를 썼어. 그럼 내가 답장하는 순간 얘가 나한테 편지를 썼다는 사실을 애들이 알게 되잖아. 그러면 애들이 얘를 약간 간신배로 볼 것 같은 느낌이 있지.

이쌤 : 저도 약간 그런 생각 들어요. 잘 보이고 싶어서.

염쌤 : 응. 그래서 답장 안 해.

이쌤 : 편지를 준 애는 속상할 수도 있으려나?

염쌤 : 그리고 솔직히 지금은 바빠서 못하겠어요.

낭쌤 : 나는 답장 줄 때도 조용히 줬어. 걔를 찾아가서.

이쌤 : 근데 문제는 걔가 자랑하고 다니면? '편지 받았어요.'

낭쌤 : 입 다물어라.

염쌤 : 내가 중학교에 있을 때 애들 엄청 토라지던데. 애들이 간식 주면 배불러서 다른 애 줬는데 그걸로 토라지고.

이쌤 : 그건 삐질 수 있겠는데요?

평쌤 : 학생 보는 앞에서 줬어요?

염쌤 : 그건 아니지. 그냥 애들 사이에 퍼져서 알게 된거지. 그 토라짐을 몇 번 당하고 나서는 그냥 주면 그 자리에서 다 먹어버려.

이쌤 : 아예 다른 애들한테 주는 기회를 안 만들게?

염쌤 : 응. 그냥 무조건 먹었습니다. 그랬더니 살쪄서 이제 나한테 관심이 없네. 아무튼 다 얘기했나? 이쌤?

이쌤 : 저요? 저는 두 가지가 생각이 났는데 하나는 아까 얘기한 발표랑 관련된 거예요. 저는 발표하는 애들보다 누군가 발표할 때 잘 듣는 애들의 모습이 되게 감동적이에요. 고3 때 자유 주제 발표하라고 하면 발표는 세부능력 특기사항 때문에 하는 거니까 발표하는 애들은 열심히 하지만 듣는 애들은 다 흘리기 마련이거든요. 근데 어떤 아이가 발표하는데 애들이 막 너무 몰두해서 듣고, 발표 끝나니까 어떤 애는 되게 슬퍼하고 또 어떤 애는 피드백을 열정적으로 써서 주는 거예요. 그런 일련의 모습이 너무 감동적이었죠.

평쌤 : 두 번째는 뭐에요?

이쌤 : 두 번째는 평쌤 얘기 듣다가 생각난 거예요. 수업 때 실존주의 수업을 했는데 '내 삶의 선택과 책임'이라는 주제의 수업 활동으로 '마지막 유서 쓰기'를 했어요. 근데 애들이 그거를 쓰면서 막 우는 거죠. 그래서 휴지 갖다주고, 정신없이 끝났어요. 그러고 나서 학년말에 애들이 편지를 써줬는데 '그 수업이 너무 인상 깊었고 그걸로 자기 삶을 다시 생각해 보게 됐다.'라고 적혀 있었어요. 그런 말을 들으니까 '그 수업이 되게 좋았구나.'라는 생각이 들었죠. 그러면서 감동도 받고. 근데 지금은 그 수업을 못 해요.

염쌤 : 지금 못해? 자살 때문에?

이쌤 : 못하죠. 그거 수업하고 나서 민원이 좀 많이 들어왔어요. 자살 가능성이 있는 애들이 유서 쓰고 자살하면 어떡할 거냐는 거죠.

염쌤 : 자살 가능성을 생각한 애가 그 수업에서 유서를 안 썼다고 자살을 안 해?

이쌤 : 그렇긴 한데, 그런 민원이 다시 들어올 거라는 위험성 때문에 안 하게 됐죠.

염쌤 : 나는 유서를 써서 그 계기로 삶을 다시 잡을 것 같은데.

이쌤 : 아무튼 못하게 됐어요. 그래서 다음 해에는 '마지막 메시지' 이런 걸로 제목을 바꿔봤다가 그냥 안 하는 걸로.

염쌤 : 자서전 쓰기 해. 80세 자서전 쓰기.

낭쌤 : 나도 저거 했던 것 같아. 국어 수업에서 활동하면서 했는데 그때도 민원 받았어.

염쌤 : 뭐, 어른들은 부정적인 걸 싫어하니까. 근데 죽음 교육에 대한 논문을 본 적이 있는데 우리나라는 그 죽음이라는 것에 대해서 너무 터부시하는 경향이 있어서 죽음 자체에 대한 교육이 거의 없대. 그래서 그걸 좀 도입해야 된다는 취지의 논문이었어요. 거기서 영화 '8월의 크리스마스'를 죽음 교육의 도구로 제시했었거든요. 시한부 인생 얘기잖아요. 나는 그런 부분이 필요하다고 생각해요. 의식하든 안 하든 사람은 죽게 마련이고, 죽음 자체를 막을 수는 없으니까 소중한 사람이 죽었을 때 어떻게 나 자신을 다 잡아야 하는지 평소에도 좀 생각해 봐야 하지 않을까? 꼭 자살이 아니더라도 언제 죽을지 모르니까. 무조건 그냥 안 보고, 모른 척하는 것은 전혀 발전적이지 않아요.

낭쌤 : 민원 문제도 있는데 나 스스로 좀 그랬던 것 같아. 해가 갈수록 마음이 힘든 애들이 점점 많아지는 것 같고, 나는

그게 크게 느껴지거든. 수업에서 유서 작성을 진지하게 했다가 그 계기로 학생이 결심하는 것도 무섭고, 그 수업에서 쓴 유서가 진짜 유서가 되는 것도 무섭고. 실제로 자살한 학생을 가르쳐 본 적도 있어서 가면 갈수록 조심스러워.

염쌤 : 유서 반대말 없나?

평쌤 : 유서 반대? 뭐에요 그게?

염쌤 : 이게 남길 유자인가? 남겨놓는 글인가?

낭쌤 : 그럴걸?

평쌤 : 미래의 나에게?

낭쌤 : 미래의 양지바른 곳에 누워 있을 나에게.

염쌤 : 내 인생이 가장 잘 풀린다면? 아, 어렵네.

낭쌤 : 그래서 글쓰기 할 때도 좀 즐거운 방향으로 해.

이쌤 : 즐거운 거요?

낭쌤 : 예를 들면 그냥 재미로 '로또 100억에 당첨되면 어떻게 돈을 쓸 건가요?' 이런 주제지. 그런 거 쓸 때 애들 딱 쳐다보면 엄청 행복해 보여.

염쌤 : 수업 시간에 글쓰기를 하면 생각보다 애들이 진솔하게 쓰나 봐?

이쌤 : 막 울기도 하니까요.

염쌤 : 그게 좀 신기해.

낭쌤 : 근데 글쓰기 수업에서 애가 깊이 고민하는 걸 잡아낼 때도 있어. 그래서 담임 선생님께 얘기 드린 적도 있고.

염쌤 : 저 같은 이과 교과에서는 그런 느낌은 좀 없어. 글쓰기를 하더라도 과학적 글쓰기라고 해서, 아주 그냥 주장과 증거가 판을 치는 이성주의의 극치 같은 글쓰기 활동이지.
신기하네요. 수업에서 학생의 감정이 요동치고, 선생님도 그 감정에 동화한다는 것, 좀 신기한 것 같아요. 저는 개구리 해부할 때 애들이 무서워서 우는 걸 본 게 전부예요.
아무튼 그럼 이번 주제는 여기까지 하겠습니다.

쉬는 시(詩)간

하기 전에 싫다

염쌤

아침이다
눈은 떴지만, 여전히 뒤척인다
일어나기가 싫다
오늘 하루 펼쳐질 고단한 삶이
오늘 하루의 시작과 함께 마중 나온 것 같다
그 여정을 온전히 감내하지 못할까
두려워
일어나지도 않은 채 일어나기를 싫어한다

어떤 일들은 시작도 하기 전에
실패가 그려진다
그럴 때면 그 일들이 두려워져서
시작조차 못 하곤했다
공부가 그랬고, 사랑이 그랬다

난 결과를 몰랐지만
무수히 많은 실패를 목격했고
수없이 조언을 들으며
그들의 두려움을 행동 지침으로 삼았다

난 실패가 싫었고, 실패할 수 있다는
가능성이 무서웠고, 실패한 후
실패자가 된다는 것도 싫었다
성공보다는 실패하지 않는 삶,
실패하지 않는 전략을 택한 것이다

공부를 안 할 수는 없었지만
전력을 다하지는 않았다
고백은 했지만, 상처는 적었다
나는 성공적으로 방어했고,
그곳에 실패는 없었다

내가 오늘 아침 일어나지도 않은 채
일어나기 싫은 이유는
그저 하루 더 방어를 해야 하는
고단함일 뿐,
성공과 실패의 문제는 아닌 것이다

3교시 나의 주변은..

학생과 라포를 형성하는 방법

염쌤 : 오늘은 학생과 라포를 형성하는 방법에 관해 얘기해 봅시다. 학생과 어떤 관계를 구축하는 것이 좋을까? 자신만의 전략은 무엇인가, 이런 얘기들을 하면 좋겠네요.
 일단 저는 궁금한 게 학생과 라포가 형성되면 형성됐다는 느낌이 와요?

평쌤 : 명확하지는 않지만 미세하게 오는 것 같아요.

이쌤 : 저는 눈 마주치면 웃을 때, 그런 느낌을 받아요. 눈이 마주쳤을 때, 그냥 쳐다만 보고 가는 애들도 있고 웃으면서 인사하는 애들도 있잖아요. 그 약간의 차이?

염쌤 : 오, 맞는 것 같아. 그럼 라포는 다들 어떻게 형성합니까? 특별한 방법이 있어요?

낭쌤 : 딱히 특별한 방법은 없는 것 같긴 한데. 나는 친해지려고 노력해. 그냥 관심 가져주고, 이야기 많이 들어주고. 그리고 아이들끼리 공유하는 주제로 얘기 나누고, 장난치고.

이쌤 : 친구가 되는 거네요?

낭쌤 : 그런 느낌이지. 그리고 아까 라포가 형성된 걸 언제 느끼냐고 물어봤는데, 학생들의 반응이 좀 다르거든? 특히 학생이 잘못해서 나에게 지도받는 상황에서 반응이 많이 다른 것 같아. 자는 학생을 깨웠을 때 라포가 형성 안 되어 있으면 인상 쓰고 그런 경우가 많은데, 라포가 형성된 학생은 '선생님 죄송해요.'라고 반응을 많이 하지. 그러니까 라포가 형성되면 반응이 순하니까 나도 계속 편하게 지도하고, 사소한 것도 챙겨주게 되고 그랬지.

평쌤 : 계속 상승 작용이 있네요.

낭쌤 : 맞아, 그런데 이게 모든 학생한테 다 적용이 안 돼서 좀 힘들긴 하더라고. 그러니까 이게 먹히는 애들이 있고, 아닌 애들도 있고. 그래도 뭐 계속 노력하는 거지 뭐. 근데 저번에도 한 번 얘기했지만, 가면 갈수록 힘든 것 같아. 나이를 먹다 보니까 공감대도 조금씩 사라지고.

염쌤 : 같은 행위를 해도 반응이 좀 다르기도 하지. 요즘은 어떤 관계든 결국 주고받아야 유지가 되는 거 같아. 내가 관심을 줬기 때문에 걔도 나한테 관심을 가지는 느낌? 근데 저는 그게 좀 싫어서 특별히 노력하지 않아요.

낭쌤 : 그러게. 딱히 특별한 방법이라고 할 만한 게 있을까?

염쌤 : 오히려 요즘 저의 전략은 학생과 라포를 형성하지 않는 거예요. 처음 담임할 때는 학생 하나하나 관심을 가지고, 내가 그 삶에 깊숙이 다가갈 수 있길 바랐어요. 그래서 그 학생의 인생에서 제가 특별한 사람이 되고 싶었죠. 근데 지금은 물리적으로 그런 접근이 모든 학생한테 적용할 수는 없다는 걸 느꼈고, 현실의 한계로 모든 학생이 아닌 특정 학생이랑만 좋은 관계가 형성되면 그건 또 그것대로 문제인 것 같아서 그냥 라포 형성에 에너지를 안 쏟는 거지.

한편으로는 관계가 쉽게 맺어지는 애들, 내가 조금만 노력해도 좋은 관계를 유지할 수 있는 애가 있고, 한참 공을 들여야 좋은 관계를 유지할 수 있는 애가 있는데, 똑같은 노력을 투입하면 아무래도 전자의 학생과 먼저 라포가 잘 형성되겠죠. 근데 그게 약간 가속화되는 경향이 있다고 해야 할까? 그러면 다른 학생들도 '저 선생님은 저 학생이랑만 친해.'라는 식으로 생각하게 되고, 그 학생들이랑은 관계 형성이 잘 안되거나 멀어지는 현상도 생겨서. 그런 것이 차별은 아니라고 생각하지만 오인될 수 있으니까 그냥 전부 다 특별해지지 않는 걸로 결론 내린 거지.

아무튼 전 노하우는 없습니다. 약간 과장 좀 보태서 전 오프라인에서 수업하긴 하지만 반쯤은 사이버 교사의 마인드로 하고 있습니다.

낭쌤 : 당신이 그렇게 말해도 당신을 좋아하는 학생들이 있는 것 같은데?

염쌤 : 제가 특별한 관계를 구축하지 않아도 저를 좋아해 주는 학생들은 좋아해 주죠. 그래서 더 라포를 형성하는 것 자체에 큰 의미를 두지 않는 것 같아요.

낭쌤 : 어떻게 하든, 제대로 하면 라포가 형성된다는 느낌?

염쌤 : 그렇죠. 아까도 얘기했지만 기브 앤 테이크가 아닌. 선생님이 너를 소중히 대해서 존중하는 것이 아니라, 그냥 선생님으로서 존경받을 만하면 존경받고 그러면 좋겠다는 느낌이죠. 근데 이거는 교과 교사와 담임 교사의 입장이 좀 다르다고 생각해요. 지금은 일단 담임 교사가 아니니까 이렇게 하는 거고, 담임을 맡으면 너무 그러면 안 되겠죠.

이쌤 : 근데 또 그걸 원하는 애들도 있던데요. 그냥 적당히 관심을 안 줬을 때 그걸 편안하게 생각하는 아이들도 있더라고요. 저희 반에 우울증이 있는 아이가 있었는데 나중에 그 친구가 졸업하고 선생님이 다른 아이들이랑 똑같이 대해줘서 고마웠다고 문자를 보냈었어요. 저는 솔직히 바빠서 신경을 특별히 더 못 쓴 거였는데 오히려 제가 그렇게 해서 자기가 우울증 티를 안 내고 학교생활을 할 수 있었다고 하더라고요.

염쌤 : 그러니까 사실 우리가 과한 관심과 모자란 관심 사이의 적당한 지점을 잘 모르잖아.

낭쌤 : 사람마다 다르기도 하니까. 구분할 줄 알아야지.

염쌤 : 근데 그런 거 있잖아. 내가 지나친 관심을 줬다는 걸 깨닫는 순간은 이미 상황이 벌어진 거잖아. 그러니까 "그만 좀 하세요!!!"라고 애가 반응할 때 알게 되는 거지.(웃음)

낭쌤 : 어느 정도 하면 지나친 걸까?

염쌤 : 모르겠어. 그건 진짜 주관적인 것 같아. '학생이 싫어하면' 지나친 거겠지.

평쌤 : 근데 관심을 많이 줬다고 싫어하면 좀 배은망덕한 것 같은데요?

염쌤 : 싫을 수 있지 않을까? 너무 자주 몇 시간씩 상담하면 상담받는 학생도 힘들 것 같은데?

이쌤 : 몇 시간씩?

낭쌤 : 고문인데?(웃음) 이리와 봐~?

염쌤 : 애들이 관심을 주는 선생님한테 "그만해 주세요."라고 표현하기도 쉽지 않지. 특히나 예의가 바른 학생일수록 말하기가 더 어렵고, 그래서 마음에 더 쌓일 수도 있을 것 같다. 얘기하다 보니까 라포를 위한 자신만의 노하우가 있다고 믿는 사람이 오히려 더 위험한 것 같기도 하네.

평쌤 : 저는 라포 형성이 필요하다고 생각했었거든요. 일반적으로 잘 지내는 애들은 저랑 라포를 형성하지 않아도 학교생활을 잘하니까 괜찮다지만. 부적응 아이들이나, 탈선하는 아이들은 라포 형성이 돼 있어야 생활지도를 할 때 효과적이라는 생각이 들어서 그런 애들 위주로 라포를 형성하려고 노력했던 것 같아요.

그러니까 아까 말씀하셨던 것처럼, 먼저 다가오는 아이는 내가 노력하지 않아도 라포가 자연스럽게 형성이 되는데, 다가오지 않는 아이들은 내가 먼저 나서야 하는 거죠. 그래서 저는 담임할 때 웬만하면 쉬는 시간에 교무실에 없으려고 좀 노력을 했었어요. 점심시간 같은 그런 때 계속 반에 돌아다니고, 혼자 있는 애들한테 계속 말 걸고. 근데 지금 들어보니까 그게 좀 싫었을 수도 있겠다는 생각이 드네요.(웃음) "왜 혼자 있냐, 밥 먹었냐." 이렇게 계속 말 걸었는데. 지금은 제가 담임을 안 맡아서 그런지 굳이 라포를 만들려고 하지 않는 것 같아요. 그냥 자연스럽게 친해지고, 도와달라면 도와주고 그러는 것 같아요.

염쌤 : 라포라는 게 자연스럽게 형성이 되는 게 좋은 거야, 아니면 의도를 가지고 노력해야 하는 거야?

낭쌤 : 굳이 '의도를 한다, 가만히 있는다' 이거보다는 그냥 스스로 뭔가 해보려고 노력하는 것 같아.

염쌤 : 뭔가 좀 개선해 보려고?

낭쌤 : 이 아이와 1년을 같이 보낸다고 하면, 같이 잘 지내야 애도 편하고, 나도 편하니까. 그래서 학생들에게 '너희가 원하는 게 뭐냐?'고 물어보기도 하고, 친해지려고 노력도 하고. 그러다 보면 자연스레 라포가 형성되고. 1년이 지난 후에 라포가 잘 형성된 아이도 있고, 아닌 아이도 있고 판단이 서는데. 뭐 사실 그게 중요한 건 아닌 것 같아. 그 1년을 같이 잘 보내면 되는 거지. 라포가 잘 형성되었어도 학년 올라가면 다시 서먹서먹 해지기도 하고 그러니까.

염쌤 : 사실 학년 바뀌고 서먹해지는 게 좀 불편하긴 하죠. 수업 안 들어간다고 태도가 확 달라지면 학생이 좀 다르게 보이기도 하고.

평쌤 : 선생님들이 그런 거 많이 느끼죠.

염쌤 : 그런 모습이 좀 허탈함을 주는 것 같아요. 비록 애들이지만 오히려 애들이기 때문에 그 느낌을 더 주는 것 같아요.

평쌤 : 속상하죠. 진짜.

낭쌤 : 멀어지면 어쩔 수 없어.

염쌤 : 물론 익숙해지겠지. 근데 평쌤은 시간을 되게 중요시 여기는 것 같아.

평쌤 : 함께 있는 시간.

염쌤 : 저번에도 그랬고, 아까도 시도 시간의 규칙이었어. 그러니까 평쌤은 자주 봐야 해.

이쌤 : 그래야 친한 거야.

염쌤 : 안 그러면 멀어져.(웃음) 나는 시간 별로 안 중요한데. 쉬는 시간마다 교실에 있는 건 되게 멋지네. 학폭 예방이 뭐 별거 있나. 근데 애들이 쉬는 시간에 쉴 수 있을까?

이쌤 : 애들이 선생님 올 때마다 계속 '왜 왔지?', '뭐 말하려고 왔지?' 하고 깜짝깜짝 놀래.

염쌤 : 이쌤은 노하우 있어?

이쌤 : 저는 있긴 있는 것 같거든요. 염쌤님이 아까 말한 위험한 사람 중 한 명입니다.(웃음) 일단 저도 저한테 호의적인 아이들과 굳이 라포 형성을 하려고 노력할 필요는 없다고 생각해요. 담임일 때도 마찬가지고, 호의적인 아이들한테는 크게 노력하지 않는 것 같아요. 알아서 라포가 잘 생기니까. 그래서 저는 호의적이지 않은 아이들에게 집중하는 편인데, 수업 끝나거나 시험 직전 자습 시간이나 틈틈이 시간 날 때 낭쌤이 얘기한 거랑 비슷하게 행동하는 것 같아요.

예를 들어 학생이 그림을 그리고 있으면 그냥 옆에 가요. 옆에 가서 '그림 진짜 잘 그린다. 너 그림 그린 거 다 보여줄 수 있어?' 이렇게 얘기하고, '너가 제일 마음에 드는 건 뭐야?'라고 물어보고, 그 친구가 보여주면 "진짜 잘 그린다. 나도 나중에 그려줘." 이런 식으로 얘기를 해요.

처음엔 애들이 부담스러워할 거 같다고 생각하기도 했어요. 사실 불안했거든요. 근데 아이들이 되게 좋아하는 거예요. 그림 그리는 아이 중에 조용한 친구들이 좀 많잖아요.
그 아이들은 수업 때 맨날 엎드려 있거나 멍때리거나 그랬는데 몇 번 그렇게 대화를 한 이후로는 저를 보는 게 느껴졌죠. 미용 잘하는 아이들한테도 "네일아트 직접 했어? 예쁘다! 나도 해줘." 머리 잘하는 친구들한테도 "선생님도 해줘." 맨날 맨날 다 해달라고 그래요. 부담스러우려나.(웃음)

염쌤 : 도저히 따라 할 수가 없는데?

이쌤 : 그림 그리는 친구들한테 말 거는 건 할 수 있지 않아요? 그리고 춤추는 애들 같은 경우에는 "춤을 춰줘." 이럴 수는 없으니까. 그런 아이들은 SNS에 춤추는 영상을 되게 많이 올리거든요. 그래서 그 친구만을 보기 위한 SNS 계정을 따로 만든 적도 있어요. 그 친구만 팔로우 해놓고, 글 올라오면 '좋아요.' 누르고 했더니 그 친구가 부쩍 친해진 걸 느꼈죠.

이런 식으로 라포를 쌓으면 학교에 관심 없었던 아이들이 그래도 학교생활에 호의적으로 바뀌더라고요. 보건 선생님께서 그 춤추는 친구가 다른 수업 시간은 잘 안 듣는데 제 수업 시간은 다 듣는다고 얘기해줘서 뿌듯했죠.

평쌤 : 라포 형성의 좋은 예시네요.

이쌤 : 암튼 그렇게 노력하고 있어요. 한편으로 호의적인 아이들은 안 챙겨주니까 약간 미안한 거예요. 챙기는 아이들만 챙기니까.

평쌤 : 역차별 느낌일 수도 있겠네요.

이쌤 : 그럴 수도 있어서, 그런 친구들한테는 먹을 거를 줘요.

평쌤 : 물질적인 보상.

이쌤 : 그건 큰 힘이 들어가지 않고, 아이들이 좋아하니까요. 저도 주면서 좋고. 아무튼 저는 그런 식으로 하다 보면 라포가 형성되는 것 같다고 느끼는데, 위험한가요?(웃음)

염쌤 : 설마요. 너무 자신의 방법을 강력하게 믿는 게 문제죠. 아무튼 좋네요. 그럼 이 이야기는 여기까지 하시죠.

학생과의 좋은 관계란?

염쌤 : 이번에는 '학생과의 좋은 관계란?'이란 질문에 관해 얘기를 나눠보겠습니다.

이쌤 : 학생과의 좋은 관계?

염쌤 : 그런 거 어떻게 생각해요? 제가 신규 교사가 되고 나서 선배 교사들한테 은근히 많이 들은 얘기가 '학생과 너무 친하게 지내지 마라.'는 말이었어요.

평쌤 : 저도 진짜 많이 들었어요.

이쌤 : 저는 한 번도 안 들었는데?

염쌤 : 선배 교사들은 그런 얘기를 왜 했던 걸까?

이쌤 : 남자 교사라서?

염쌤 : 그럴 수도 있을 것 같긴 한데.

평쌤 : 발령받자마자 학생이랑 친해지면 안 된다고 하던데요?

이쌤 : 진짜? 남자 선생님이라 그런 거 아니에요?

평쌤 : 교회 오빠가 될 수 있다.

염쌤 : 여자 중학교였어?

평쌤 : 아니요. 공학이었어요.

이쌤 : 어쨌든 여자애들이 있어서 한 말 같은데?

평쌤 : 저는 아무것도 하지 않았는데, '교회 오빠처럼 하면 안 된다.'라고 오자마자 말씀하시더라고요.

이쌤 : 애들이 좋아할까 봐 그런 건가?

염쌤 : 이게 외모가 좀 되는 사람한테 많이 얘기하는 건가?

낭쌤 : 나는 그런 거 못 들어봤는데. 까였네.(웃음)

염쌤 : 교회 오빠 이미지가 있어야 얘기하는 거 아니야?

낭쌤 : 나는 절 오빠.

염쌤 : 아무튼 무슨 의미였을까?

이쌤 : 진짜 그런 거 아니에요? 학생이 좋아할 수도 있으니까, 사전에 큰일 생길 일을 만들지 마라.

염쌤 : 여학생과 썸 타지 마라?

이쌤 : 선생님은 아니더라도 애가 그렇게 오해할 수 있으니. 아니면 선생님이 상처받을까 봐 그러나. 친해졌다가 언젠가 또 다 떠나가니까.

염쌤 : 그 느낌은 아닌 것 같은데?

평쌤 : 제가 느끼기에는 너무 친해지면 애들이 좀 말을 잘 안 들을 수도 있고, 버릇없이 굴 수도 있으니까 좀 엄격하게 해야 한다, 너무 친구처럼 하면 안 된다는 느낌인 것 같아요. 저보다 한 3년 선배였던 남자 선생님도 남자반 담임을 맡으면서 처음에 너무 친구처럼 해주니까 애들이 막 자기한테 어깨동무하고 버릇없게 해서 너무 힘들었다고 얘기를 하셨거든요. 저는 그 느낌으로 받아들였어요.

염쌤 : 그 느낌 맞는 것 같아. 그러니까 친해져서 대등한 관계가 되어버리면 교사로서의 말과 지시 같은 거에 좀 효력이 떨어지니까 그러지 말라는 의미인 거지. 근데 그게 맞는 것 같아요? 친해지면 교사로서 지도가 잘 안되나?

낭쌤 : 하기 나름 아닌가? 태도의 문제인 것 같아. 감당이 안 되어서 그런다기보다는 아이에게 너무 잘해주면 잘해줄수록 이 아이도 나한테 기대는 게 많아지고, 근데 책임져 줄 수 있는 게 한계가 있잖아. 내가 모든 걸 다 책임질 수 있고, 애 방향을 다 잡아줄 수 있는 것도 아닌데 감당도 다 못 해줄 거면서 너무 친해지면 안 되니까 어느 정도의 선은 지키자. 그런 건 좀 있거든. 아이가 나의 인생을 어느 정도 침범했을 때 나도 좀 힘들고 불편하잖아. 처음에는 애들이랑 잘 놀았는데 어느 순간 내 인생도, 나도 애들을 다 감당해 줄 수 없다는 것을 느낀 거지.

염쌤 : 맞아요. 부모도 자식을 떠나보내야 하는데 교사가 계속 그럴 수는 없죠.

낭쌤 : 약간 결이 다른 얘기 같긴 한데 아무튼 잘해주려고 할수록 한계를 느끼고, 힘들어지고, 그래서 적당한 선이 생겼다는 말이었어. 이제는 그 선을 지키면서 내가 할 수 있는 최대한의 정도로만 하는 것 같아.

학생도 선생님이 다 해줄 것 같았는데 해주지 않으면 상처받잖아. 기대에 부응하지 못하면 어차피 서로에게 또 상처가 되니까.

염쌤 : 거리감?

이쌤 : 너무 방어적이다.

염쌤 : 그런 것도 있긴 하지. 그럼 아까 평쌤이 얘기한 거, 애가 와서 나한테 어깨 동무를 하는 건 어때요?

이쌤 : 저는 애들이 와서 팔짱은 많이 끼더라고요.

염쌤 : 여자들은 그렇지. 근데 팔짱이랑 어깨동무는 또 조금 느낌이 다른 거 같은데?

평쌤 : 저는 너무 싫은데.

염쌤 : 나는 나한테 하는 거에 대해서 그리 싫다는 느낌은 못 받았는데, 오히려 그걸 보는 사람들이 되게 불편해하더라고. 주변 선생님들이 '저게 맞냐?' 그러시고.

이쌤 : 염쌤도 그런 적이 있어요?

염쌤 : 있지.

이쌤 : 어깨동무를?

평쌤 : 팔짱?

염쌤 : 아무튼 했었어.

평쌤 : 남학생이요? 여학생이요?

염쌤 : 남학생이지. 여학생이 나한테 어깨동무하기는 좀 힘들지 않을까? 아무튼 선생님들도 생각은 다 다른 것 같아. 물론 어깨동무하는 과정과 모습을 고려해야겠지만, 학생이 먼저 어깨동무한다는 것이 좀 버릇없어 보일 수 있지. 학생과 교사가 어느 정도 거리가 있어야 한다고 생각하시는 거지.

평쌤 : 저도 좀 불편한 것 같아요.

염쌤 : 근데 자기가 그걸 싫어해서 안 해도 다른 동료 교사가 학생들과 그렇게 지내는 걸 보면 좀 복잡한 마음이 될 것 같아. 그렇다고 그 선생님에게 무슨 말을 하기도 쉽지 않고. 본인이 생각하기에는 선생님이 저런 존재면 안 되니까.

이쌤 : 남자 선생님들끼리는 그런 말을 좀 잘하나 봐요.

염쌤 : 아무래도 선배 교사들이 남자끼리는 좀 편하게 얘기하는 것 같아. 그런 걸로 신고는 안 하니까? 그러면 개인적으로 학생과 어떤 관계를 구축하는 것이 좋다고 생각하는 지, 자신의 목표는 무엇인지 돌아가면서 한 번 얘기해 보죠.

이쌤 : 저는 솔직히 얘기하면 지금 같은 관계인 것 같아요. 왜냐면 어쨌든 같은 업무를 반복하고, 학생들도 맨날 바뀌지만 그 자체가 익숙해질 거 아니에요. 그러면 필연적으로 좀 학교생활이 지루하게 느껴지고, 매너리즘이 올 텐데, 지금과 같은 관계를 계속 학생들과 유지하고, 유지하려고 노력한다면 그것만으로도 성공적이다는 생각이 들어요.

근데 가능할지는 모르겠어요. 왜냐면 아이들이 지금 저를 좋아하는 것이 제가 젊어서라고 생각하거든요. 그러니까 나이가 들면서 관계를 유지하는 게 힘들 것 같아요.

염쌤 : 그렇지는 않을 거야. 젊은 사람을 다 좋아하진 않아.

이쌤 : 그래도요. 그래서 지금 같은 관계를, 제가 계속 이런 생각(라포 형성을 위해 노력하겠다는)을 유지하고, 아이들하고의 관계도 유지하면 좋지 않을까. 그것이 제 목표입니다.

염쌤 : 멋지네. 오케이. 먼저 하실 말씀 있나요? 사실 저는 딱히 목표가 없어서.

이쌤 : 목표가 없어요? 노하우도 없고, 목표도 없고.

염쌤 : 저는 없습니다. 저는 학생과 어떤 관계를 가져야 한다는 목표, 그 자체를 염두에 두지 않아요. 그거는 학생이 고민해야 할 일이 아닌가 싶어요. 저는 기본적인 인생관이 학생이든 교사든 관리자든 그냥 제가 만나는 모든 인간을 똑같은 자세로 대하자는 거라서, 그냥 인간으로만 대하자는 목표를 가지고 있을 뿐 교사로서 특별히 학생과의 관계에 대해 목표를 설정하지는 않아요. 그냥 인간의 예의를 지키고, 인류애를 가지고 대하는 거죠.

이쌤 : 그러면 가족도 다른 사람이랑 똑같이 대해요?

염쌤 : 다음 사람으로 넘어가죠.

평쌤 : 저는 사실 학생들이랑 라포 형성하는 게 좋습니다. 모든 선생님이 학생들하고 친하게 지내는 것은 당연히 좋은 거겠죠. 성격상 그게 어렵고 힘들 뿐이지, 저도 좀 더 노력을 하고 싶습니다. 다양한 방법을 찾아서 라포 형성을 하면 좋겠습니다.

낭쌤 : 나는 거의 항상 그래. 즐거운 관계. 서로 웃을 수 있는 관계. 너도 재미있고 나도 재밌고. 그런 것들을 맨날 연구하고 찾고. 애들이랑 이것저것 해보고. 그런 게 좋아. 서로 인상 쓰지 않고, 즐겁게 웃으면서 지낼 수 있는 그런 관계가 좋아. 그리고 내가 그러기 위해 준비하면서도 재미를 느끼고.

이쌤 : 맞아. 진짜 맨날 넌센스 게임 준비해서 맞춰보라고 저한테 먼저 보여주세요.

평쌤 : 보통 힘든 일이 아닌데.

낭쌤 : 오랜만에 내볼까?

이쌤 : 못 맞춰. 완전 어려워.

염쌤 : 그럼 여기까지 하겠습니다.

나에게 힘을 주는 학생

염쌤 : 오늘 주제는 좀 밝은 얘기를 했으면 좋겠다고 해서 '나에게 힘을 주는 학생'으로 정했습니다. 한 번 경험담을 얘기해 볼까요? 준비되면 말씀하세요. (5분 후) 먼저 얘기하고 싶은 사람? 없으면 저부터 하겠습니다.

나에게 힘을 주는 이쁜 학생을 생각해 봤는데 일단 일상적으로 소소하게 힘을 주는 학생들이 생각나요. 그러니까 크게 감동하거나 그런 게 아니고, 그냥 수업 시간에 나한테 질문하면 그게 힘이 돼. 수업 시간에 손들고 질문하는 학생은 거의 없잖아요. 그렇게까지는 안 하더라도 그냥 수업 끝나고 조용히 찾아와서 모르는 거 물어보면 왜 힘이 나는지 잘 모르겠는데 힘이 나요. 가르쳐주는 게 재미있고, 오히려 수업보다 그게 더 재밌어.

이동 수업이라 평소 제 수업에 별로 반응이 없거든요. 학생들끼리도 되게 어색하고. 그런 분위기가 되게 나를 좀 압박하는 게 있는데 그런 분위기에서 질문이 들어오면 '그래도 듣고 있구나.' 이런 생각도 들고, 나의 필요성을 느끼는 것 같아요.

다만 학생들이 저를 기쁘게 해주려고 다른 선생님과 비교해서 하는 표현들, '선생님이 훨씬 잘 가르쳐요.'같은? 그런 말은 오히려 들으면 좀 씁쓸해지더라고요. 그럼 다음?

평쌤 : 이 질문에 고민을 많이 해봤는데 제가 느꼈을 때 저한테 오랜 기쁨을 준 학생들은 딱 세 부류의 학생이 있었던 것 같아요. 일단 뭐니 뭐니 해도 수업을 들을 때 눈이 똘망똘망하고, 간혹 고개를 끄덕여 주는 친구들을 볼 때는 수업할 때 힘이 한 5배는 더 커지는 것 같아요. 그리고 담임을 할 때 진심으로 변화하는 친구들이 있었는데 제가 힘을 많이 받았어요. 예를 들면 축구부인 아이가 있었는데 수업 시간에 막 떠들고 장난치고 굉장히 산만했어요. 그 친구를 불러서 좀 호되게, 깊은 얘기를 한 적이 있었거든요. 그러고 나서는 내심 좀 걱정했어요. 얘가 나한테 반항심을 갖지 않을까? 적대심을 갖지 않을까? 그런데 그날 저녁에 그 학생이 '진짜 너무 죄송하고, 두 번 다시 이러진 않겠다.'라는 내용으로 장문의 메시지를 보내더라고요. 일단 거기서 1차로 되게 놀랐고, 이후에 더 기뻤던 거는 그 아이가 정말 변화하는 모습을 너무 잘 보여줬어요. 저한테도 모범적으로 변했고. 제 수업에만 그런 게 아니라 계속 주변 선생님들이 얘가 너무 모범생이 됐다고 칭찬했어요. 그게 1년 동안 계속 가더라고요. 그래서 되게 기뻤습니다.

염쌤 : 비결이 뭐야?

평쌤 : 그냥 가끔 그런 경우가 있는 것 같아요. 또 한 번은 분노 조절을 잘 못하는 아이가 한 명 있었는데 얘가 덩치가

되게 컸어요. 정서적으로 많이 힘들어하고, 몸도 되게 아픈 애였는데 이전 학년에서 사고도 많이 쳤거든요. 악의적인 사고는 아니었는데 그냥 갑자기 흥분해서 책상을 뒤집어엎는 식이었어요. 그 애를 맡았을 때 부담이 굉장히 컸는데 어떻게든 말을 많이 걸려고 노력했죠. 최대한 일상적인 얘기를 하며 많이 다가갔었어요. 다행히 그 해는 애가 좀 잘 지냈어요.

근데 그 애가 자신의 학교생활에 대한 이야기를 적는 수업에서 저에 대한 글을 썼거든요. 그 글에 '담임 선생님과 얘기하면 왠지 모르게 마음이 편해진다.' 그렇게 딱 한 문장, 그거밖에 안 썼는데 그 글을 보니 그 순간 너무 힘이 나더라고요. '얘가 나를 좀 믿고 있구나. 그래도 정서적으로 안정시켜 줬구나.'라는 생각이 들었죠.

염쌤 : 잘 들었습니다. '나에게 힘을 주는 학생'에 대한 주제였는데 나의 교육적 행위의 의미가 느껴질 때도 힘을 받는다는 사실이 재밌네요. 그리고 교사의 비지시적 언어에 대해서 교육학에서 많이 얘기하는데 학생의 비지시적 언어도 마찬가지로 중요한 것 같아요. 끄덕임, 좋네요.

낭쌤 : 이번 주제를 보고 곰곰이 생각해 봤는데 '다 비슷하지 않을까?'라는 생각이 들었어. 일단은 나에게 힘을 주는 학생들은 학교에 왔을 때 좀 살아있는 학생? 그런 아이들이

나에게 힘을 줬던 것 같아. 수업하든 담임으로서 청소를 시키든, 학급 활동을 하든 그 활동에 같이 참여하고 살아 있는, 잘 따라주는 친구들의 모습에서 힘을 많이 받았지. 그리고 나도 나의 말이나 지도에 좀 잘 따라와 준 그런 친구들, 그리고 그 친구들의 어떤 변화를 확인했을 때 많이 힘이 되고 기뻤지.

내가 1학년 담임할 때 처음에는 학생들이 생리 결석을 알고 있지만 눈치 보며 못 쓰다가 어느 순간부터 폭발적으로 늘어나거든. 근데 너무 말도 안 되게 생리 결석을 쓰는 게 눈에 보여. 그래서 남자 선생님이라 얘기하기 민감하긴 했지만 2학기 시작하고 얘기를 조금 했어. 생리 결석이 언제부터 생겼고, 많은 여성이 고통을 참아내고 인내한 후 겨우 생긴 거고, 하루는 너무 모자란다고 생각한다, 등등. 근데 너희가 이 권리를 오용하면 힘들게 피땀 흘려서 만든 이 제도가 사라질지도 모른다. 내가 어떻게 할 순 없지만 제발 너희의 양심에 비추어 봤을 때 너희가 올바르게 사용하자. 그렇게 그냥 한마디 던졌어. 먹히든 말든. 근데 한 명이 시험 기간에 생리 결석을 늘 쓰다가 안 쓰기 시작하는 거야. 그러니까 그때 뭔가 변화가 있었나 봐. 내 얘기에 감화됐다고 생각하니까 그런 거에서 좀 힘을 얻고 기뻤지.

그리고 조금 세속적이긴 하지만 학년말에 롤링 페이퍼 같은 거 주잖아. 그거 읽는 게 나는 너무 좋더라고. 그거 읽으면 또 힘이 나고, 힘내서 한번 해봐야지 생각하고 그래.

낭쌤 : 그런 것들이지 뭐. 착한 일을 해도 복을 받을 수는 없지만 악한 일을 하면 반드시 그에 대한 벌은 받는다고 믿거든. 상당히 비과학적이지만 올바로 우리가 살기 위해서는 그런 믿음이 필요한 것 같아서, 학생들에게도 많이 얘기하지.

염쌤 : 나도 사필귀정 믿어.

낭쌤 : 근데 그건 진짜 있는 것 같아. 나쁜 짓을 하면 뭔가 마음이 불안해서 그런가? 뭐, 하여튼 뭔가 당하는 것 같아.

염쌤 : 나쁜 짓이 돌아올 때까지 나쁜 짓을 하죠. 아무튼 살아있는 학생들 좋네요. 다 얘기해 보니까 약간 상호 작용이 중요한 것 같긴 하다.

이쌤 : 저에게 힘을 주는 학생들은 아까 말하셨듯이 인사를 밝게 잘해주는 친구들. 저도 같이 인사를 하면서 기운이 막 나거든요. 단순하지만 그게 첫 번째로 생각났고, 다음으로 수업 때 아까 끄덕이는 거 얘기하셨는데 같은 맥락이에요. 저는 수업 시간에 질문을 진짜 많이 하거든요. 계속 물어보면서 학생들의 반응을 확인하고, 대답 안 하면 또 물어보고 그러는데 50번을 하든 100번을 하든 정말 끝까지 대답하는 아이들이 있어요. 그런 친구들 덕분에 수업을 계속 이어가는 것 같기도 하고, 내가 잘하고 있나 확인도 되고,

그런 친구들한테 엄청 고맙죠. 만약 그런 친구들이 없으면 '수업을 과연 진행할 수 있을까?'라는 생각도 들어요. 너무 힘들 것 같거든요. 그리고 저는 제가 도움을 줄 때도 기쁘고 도움을 받을 때도 기쁜 것 같아요.

한 번은 수업이 10분 일찍 끝났어요. 그래서 잠시 쉬는 시간을 줬는데 수업에서 배운 내용을 가지고 자기들끼리 얘기하고 있는 거예요. '누가 뭐 어쨌대', '이 사상가가 저랬대', '넌 걔 그거 믿어?' 이런 식으로 얘기를 하면서 나름 심화 학습을 하는 거죠. 자기들끼리 장난치는 거였는지 뭔지 몰라도 그럴 때 너무 예뻐 보여요. 수업이 끝나고 10분이나 남았는데 안 쉬고 계속 수업 얘기하는 모습들, 그런 모습을 보면 저는 엄청 힘이 나요.

염쌤 : 담임할 때 좋은 기운 받은 적 없어?

이쌤 : 담임일 때 아이들에게 도움을 많이 받죠. 예를 들어 청소할 때, 당시 시험 기간이어서 청소를 빨리 끝내고 앉아 있었는데 누군가 박카스를 먹고, 속에 있는 내용물을 안 버리고 쓰레기통에 버린 거예요. 그러니까 쓰레기통이 완전 액체와 범벅이 돼서 더럽게 된 상태로 안 치워져 있었던 거죠. 그래서 애들은 공부하고 있고, 제가 조용히 닦다가 '누가 박카스 먹었어?'라고 물었는데 아무도 대답을 안 해요. 약간 짜증이 났는데 어떤 아이가 나와서 '제가 도와

드릴게요.' 하면서 같이 치워주는데 너무 고맙고 예쁜 거예요. 그 아이는 박카스를 먹은 아이도 아니고, 다른 애들은 그냥 자기 할 거 하느라 관심도 없는데 스스로 나와서 도와주니까. 제가 2학년 때 그 친구 담임을 했었는데 3학년 때도 그런 행동을 꾸준히 했어요. 굳이 자기 일이 아니더라도 항상 나서서 솔선수범하는 모습이 참 기억에 남고, 저한테도 많은 힘을 줬어요.

마지막으로 제가 수업 들어가기 전에 힘들면 맨날 과목 부장들한테 기 좀 달라고 그러거든요. 그러면 애들이 제 손을 잡고 기를 줘요. 별것 아니지만 그런 애들 덕분에 또 힘이 나고 그런 것 같아요.

염쌤 : 나도 수업 시간에 질문 많이 하는데, 하도 대답을 안 해서 그냥 내가 대답해. 질문하고 내가 대답하고.

낭쌤 : 나도 그런데

염쌤 : 선생님께 힘을 주는 친구들이 좀 많아지면 참 좋겠네요. 그럼 오늘은 여기까지 하겠습니다.

인사, 어디까지 해야 할까?

낭쌤 : 근데 아까 인사 얘기 나왔잖아. 근데 의외로 애들이 인사에 대한 고민이 되게 많던데?

이쌤 : 오, 그래요?

낭쌤 : 인사를 잘하고 싶은 거야. 그런데 선생님께 인사를 어디까지 해야 하나? 내가 잘 모르는 선생님께 인사를 해야 하나? 아까 인사한 선생님이 또 지나가면 어쩌나? 그런 고민이지. 그리고 아침에 교문 지도할 때 선생님들이 엄청 많이 나와 있잖아. 그러면 한 명씩 인사해야 하나? 그런 깊은 고뇌에 빠지는 거야.

염쌤 : 그래. 그럴 수 있지.

낭쌤 : 애들이 인사를 해야 한다고 생각하는 데 이게 스트레스인 거야. 하루에 몇 번씩 마주치는 데 계속 인사를 해야 하는 건지. 우리도 좀 그렇지 않아? 같은 교무실에 있는 선생님께 아침에 '안녕하세요?' 인사하고, 복도에서 만나면 또 해야 하나? 그런 생각이 드는 거지. 안 그러나?

염쌤 : 맞아요. 애매할 때 있어요.

낭쌤 : 애들은 우리가 선생님이고 하니까 더 깊은 고민을 하는 것 같더라고.(웃음)

염쌤 : 인사 어디까지 해야 할까? 학생들도 그렇고, 교직원끼리도 그렇고. 뭐 심각한 건 아니지만 재미로 생각해 봅시다. 우선 인사를 하는 건 맞죠? 그죠?

이쌤 : 해야죠. 해야지.

염쌤 : 근데 안 하는 경향도 좀 있잖아. 모르는 사람은 인사를 안 하죠?

이쌤 : 근데 저 약간 놀란 게 이번에 학교에 남자애들이 왔잖아요. 근데 걔네는 인사를 전부 다 하더라고요. 잘 몰라도. 너무 깜짝 놀랐어요. 제가 남고에 출장 갔을 때도 진짜 예의 바르게 학교에 들어오는 모든 어른들한테 인사를 하더라고요. 그래서 좀 충격받았거든요. 우리 학교 애들은 예쁘지만 안 가르치는 선생님께는 인사를 잘 안 하잖아요.

낭쌤 : 남자들이 어릴 때 많이 혼나서 그런가?

염쌤 : 약간 성별에 따른 성향 차이겠죠. 근데 잘 몰라서 인사를 안 한다는 것은 좀 이상한 게 우리 학교 애들이 우리 학교

선생님을 모르지는 않잖아. 엄밀히 얘기하면 누군지 알잖아? 그러니까 학생들이 말하는 모르는 사람이라는 건 수업을 안 들어서 관계가 형성이 안 되어 있고, 그 선생님이 나를 모르니까 모르는 사람이라는 의미가 강한 것 같은 데, 그렇게 생각한다면 그런 관계는 인사를 안 하는 게 맞는가?

'학생들은 어떤 선생님께 어디까지 인사해야 하나?'라고 질문했을 때, '학교에 있는 모든 사람한테 한다.', '정확하게 누군지 아는 사람만 한다.', '그냥 자기 마음이다. 안 해도 된다.' 뭐가 맞는 것 같아요?

낭쌤 : 첫 번째 같긴 한데, 실현되지는 않을 것 같아.

이쌤 : 저도 다 하는게 맞는 것 같긴 해요.

낭쌤 : 그냥 학교 안에서 하나의 구성원, 하나의 가족이잖아. 솔직히 선생님을 잘 모를 수는 있어. 잘 몰라도 선생님이라는 사실을 알면 그래도 가볍게 목례라도 해줄 수 있는 것 아닌가. 선생님도 인사하면 뻣뻣하게 가지 않잖아. '안녕하세요?' 그러면 나도 애들한테 '안녕하세요?'하고. 그러면서 관계가 형성되고. 그게 맞는 것 아닐까?

평쌤 : 네. 맞는 것 같아요.

염쌤 : 전원 모든 사람에게 인사하는 게 좋다고 생각하네요.

낭쌤 : 학교 공동체 안에서 서로 부대끼며 살아가는 건데 만나면 가볍게 인사라도 하는 게 좋은 거지.

염쌤 : 그럼 누가 외부에서 오면? 누군가 외부에서 손님이 왔어. 지나가다 봤어. 인사를 하는 게 맞아요? 안 하는 게 맞아?

낭쌤 : 그건 판단이 애매하지.(웃음)

염쌤 : 저는 주인 의식이 있다면 인사를 하는 게 맞다고 생각해요. 우리 집에 누가 오면 인사 하잖아요. 내 가게에 손님이 오면 인사하잖아. 그 사람이 누군지 알아서 하는 거는 아니잖아요. 내가 점유하고 있는 이 공간, 소속돼 있는 공간에 다른 누가 왔기 때문에, 손님이겠거니 하고 인사 하죠.

그런 맥락으로 생각하면 모두 다 하는 게 맞는 것 같아. 꼭 어른이어서가 아니라 손님이니까. 근데 학생이 주인 의식을 가져야 하는가에 대한 문제는 좀 다른 문제인 것 같긴 해요.

한편으로는 선생님도 좀 문제는 있다고 생각해요. 선생님들이 그렇게 인사를 잘 받아주지는 않는 것 같아.

이쌤 : 응? 잘 받아주지 않아요?

염쌤 : 내가 관찰한 바에 따르면 잘 안 받아주시는 분들도 꽤 있지. 그러니까 조금씩 서로 인사하기 어색해진 거 아닐까? 처음에는 잘하다가도 점점 서서히 안 하게 되는 것 같거든.

낭쌤 : 교실 맨 처음 들어갈 때 인사해? 안 해?

염쌤 : 수업할 때?

낭쌤 : 응. 문 열고 들어가면서

염쌤 : 난 보통 뒤에서 들어가는데(웃음) '어이~ 뭐 하니?' 그게 인사라면 인사라고 할 수 있겠지.

낭쌤 : 아는 척하는 거.

염쌤 : 오히려 복도에서 만나면 더 깍듯하게 인사해요. 근데 나도 의문이 들 때가 있어. 학생이 인사를 하겠거니 하고 내가 인사하는데 애들이 안 하는 경우가 종종 있어. 그래서 나 혼자 인사하고 어색해할 때가 있죠. 뭐 안 할 수도 있긴 해요.

평쌤 : 아는 학생이요?

염쌤 : 아니, 그냥 학생이니까 하겠거니 하고 먼저 인사하는 데, 안 하는 경우도 좀 있으니까 나도 나중에 고민되더라고. 그래서 걔들이 고민하는 거 나도 고민하는 거지. 인사를 해야 하나 말아야 하나.

낭쌤 : 내가 먼저 할 수는 없다.(웃음)

염쌤 : 인사를 하는 것 자체는 가치가 있는 일이잖아. 상호 작용의 방법이니까. 그러면 안 하는 것을 뭐라고 하기보다는 인사를 잘하게끔 교육하는 게 중요한 것 같아요. 어떻게 하면 인사를 잘하게 할 수 있을까?

이쌤 : 우선 잘 받아줘야 하지 않을까요?

염쌤 : 그렇지. 선생님들도 인사를 잘해야 한다고 생각해. 선생님들끼리도 서먹서먹하게 인사하시는 분도 있고, 그게 본인 스타일이라고 말씀하시는 분들도 꽤 있어. 뭐 본인 스타일은 맞는데 그래도 조금 활기차게 하면 좋겠다는 생각은 드네요. 사실 인사 문제는 코로나 이후로 좀 심해진 것 같아. 상대방의 눈만 보이고 입이 안 보이는 상태에서 좀 뭐랄까, 무표정하고 딱딱한 느낌을 받기 쉬워서.

이쌤 : 코로나 이전엔 애들이 좀 달랐어요?

염쌤 : 그전 학교에서는 잘하던데? 이 학교는 코로나 때 와서 사실 잘 모르겠네.

이쌤 : 저도 코로나 때 와서.

염쌤 : 근데 인사는 중학생들이 엄청나게 잘해.

이쌤 : 지금도?

평쌤 : 여기보다는 훨씬 잘했어요. 인사말이 '사랑합니다.'였어요.지금 학교도 '사랑합니다.'긴 하네요. 근데 1학년 때 엄청 잘하다가 학년이 올라갈수록 좀 안 하긴 하더라고요.

염쌤 : 그런데 '사랑합니다'에 대해서 한번 얘기해 봅시다. 이거 맞아? 인사말로 '사랑합니다.' 괜찮아요? 나는 이 말이 가지는 본 의미 때문에 어색하고 불편해서 입에서 잘 안 나오거든. 그래서 안 하는 것도 좀 있는 것 같고. '언제 봤다고 사랑이야?' 이런 느낌이 있어.

이쌤 : 좀 부담스럽죠.

염쌤 : 응. 인사로서 좀 과한 것 같아.

평쌤 : 받는 것도 좀 부담스러워요.

염쌤 : 그냥 '안녕하세요?' 그럼 될 것 같은데 왜 이렇게 '사랑합니다.'로 인사하는 학교가 많을까? 언제부터인지 모르겠지만 아주 오래된 것 같아. 신규 때도 그랬거든.

낭쌤 : 진짜?

염쌤 : 예, 이쌤이 학교 다닐 때는 인사 뭐라고 했어?

이쌤 : 저는 '효녀입니다.'였나? 그랬을걸요.(웃음)

낭쌤 : 헉. 설마 아직도 그러진 않겠지?

이쌤 : 지금은 모르겠어요.

염쌤 : '효녀입니다.' 이렇게 인사를 한다고?

이쌤 : 그랬던 것 같은데.

염쌤 : 인사가 왜 자기소개야?

이쌤 : 아냐. 고등학교 때 '사랑합니다.'였던 것 같고 중학교 때 '효녀입니다.'였던 것 같아.

염쌤 : 효녀입니다. 좀 충격적이다. 어쩌라는 걸까? 남중, 남고에서는 그냥 '안녕하세요.' 아닌가?

평쌤 : 저는 '사랑합니다.'라고 한 적이 없는 것 같은데.

염쌤 : 약간 여중, 여고에서 이런 느낌의 인사가 많은 것 같네요. 이런 것도 약간 성차별적 요소가 될 수 있겠네요. 고민이 필요한 것 같습니다. 아무튼 인사 얘기는 여기까지 할게요.

나는 동료들과 잘 어울리는 교사인가?

염쌤 : 저번에 던진 질문이 뭐였죠?

낭쌤 : 나는 동료들과 잘 어울리는 교사일까?

염쌤 : 나는 동료들과 잘 어울리는 사람인가? 동료, 교사에게 있어 동료란 누구일까요? 이 질문이 필요한 것 같아. 왜냐하면 동료란 게 같은 직장에서 같이 일하는 사람을 의미한다면, 동료 교사뿐만 아니라 관리자도 될 수 있고, 학생도 될 수 있다는 생각이 들어. 즉, 관점에 따라 동료가 다양할 수 있는데, 동료를 너무 편향되게 선택하면 한쪽의 동료는

한쪽의 적이 될 수도 있잖아. 각자 어디까지가 동료라고 생각하시는지 한번 얘기를 해보면 좋을 것 같아요.

낭쌤 : 내가 이 질문을 만들 때 의도는 그냥 교사였어.

염쌤 : 동료 교사.

낭쌤 : 학생도 아니었고. 그리고 솔직히 교장, 교감 선생님도 아니었고. 그냥 같이 생활하고 부딪히는 사람들을 생각하고 질문을 한 거였어.

염쌤 : 그럼 같은 부서 선생님까지 동료예요, 아니면 정말 만나기 힘든 다른 부서 선생님까지 동료라고 본 거예요?

낭쌤 : 전부 다 동료 교사지.

평쌤 : 저는 동료를 학생을 제외한, 학교에서 일하는 교직원과 급식실에서 일하시는 분들, 행정실 사람들까지 모두 포함해서 동료라고 생각하는 것 같아요.

염쌤 : 이쌤은?

이쌤 : 저도 딱 질문만 봤을 때는 동료 교사 이외에는 사실 잘

생각이 안 났고, 염쌤 얘기 듣고 관리자, 학생까지 범위를 넓혀서 생각해 봤는데요. 학생은 동료는 아닌 것 같고, 관리자는 동료는 맞는데, 동료라고 제가 인식을 잘 못하는 거 같고. 그래서 선생님들까지만 동료라고 생각하는 것 같아요.

염쌤 : 저도 학교에 있는 모든 사람이 동료라고 보는 편인데, 옛날에는 학생들도 동료라고 인식했던 것 같아요. 같이 성장하는 입장이기도 하고, 결국 내 업무를 수행하는 데 있어서 가장 큰 도움을 주는 건 학생인 것 같아서 반동료라고 생각한 거죠. 근데 지금은 좀 동료는 아닌 것 같아요.

낭쌤 : 근데 내가 동료의 정의를 내리고 이 질문을 한 건 아니거든. 그냥 선생님만 생각했지. 그냥 선생님들과 잘 지내는 그런 거.

염쌤 : 물론 그런 의도 같긴 해요. 근데 '잘 어울린다'라는 말을 들으니까 그냥 문득 떠오르는 거야. 관리자와는 아주 잘 지내는 데 동료 교사와 관계가 안 좋았던 염쌤이나 반대로 동료 교사와의 관계는 좋은 데 관리자 및 친관리자 성향의 선생님들과는 아주 사이가 안 좋은 선생님의 모습이. 그래서 동료에 대한 정의를 어떻게 바라보고 있는지 질문한 거죠. '나는 동료들과 잘 어울리는 사람인가'라는 질문에서

내가 ‘동료’의 정의를 어떻게 하느냐에 따라 질문의 의미가 달라지는 것 같아서.

‘나는 모든 사람과 잘 어울릴 수 있는가?’라는 질문인지, 아니면 ‘자신에게 영향을 주는 사람이나 근처에 있는 사람과 스트레스받지 않으면서 잘 지낼 수 있는 사람인가?’ 정도의 의미인지 궁금해진 거지.

낭쌤 ; 내 의도는 모든 사람.

염쌤 : 그렇군요. 알았어. ‘나는 동료들과 잘 어울리는 사람인가?’에 대해 얘기해 봅시다. 근데 난해한 질문이다.

낭쌤 : 결론이 안 나는 얘기지.

염쌤 : 우선 형부터 먼저 모범을 보이세요.

낭쌤 : 일단 나 스스로 동료 교사와 잘 어울리는가에 대해 판단하기는 어려운 것 같고, 나를 보는 사람들이 판단하겠지. 그래도 스스로 생각을 좀 해보면 나는 그리 잘 어울리지는 못하는 것 같아.

이쌤 : 왜요?

낭쌤 : 내가 스스로 힘들어하는 분들이 좀 있거든. 기본적으로 나는 '차가운 머리, 뜨거운 가슴' 이런 말을 지키려고 하거든. 문제는 이성적으로 판단하고, 사람들을 대할 때는 따뜻하게 대하려고 노력하는 거지. 예를 들어 시간표를 짤 때는 최대한 이성적으로 철저하게 짜지만, 뭔가 부탁하시거나 고려해야 할 상황이 있으면 다 도와드리려고 노력하는 거지. 근데 그렇게 해도 어울리기 힘든 분들이 있더라고.

염쌤 : 그 몇 명 때문에 스스로 잘 못 어울리는 사람이라고 판단하는 건 지나치게 겸손한 거 아냐?

낭쌤 : 근데 그런 사람들을 어느 순간 나도 피하게 되더라고. 내가 힘드니까 피하게 되고, 그분을 대할 때는 조금 경직되고. 대하는 태도가 다른 사람들과 달라지니까.

염쌤 : 스스로 달라진 게 느껴져서 크게 느껴지는 거구나. 그러면 형의 사교성이 더 높아져서 그 사람들이랑 잘 어울리고 싶은 마음이 있는 거예요?

낭쌤 : 그런 것도 없어졌어.

염쌤 : 그래서 '아주 잘 어울리는 사람은 아니다.'

낭쌤 : 사실 사교성이 있는 것도 아니고 말이 많은 것도 아니고.

염쌤 : 그거는 스스로 판단할 수 있는 것이 아니다?(웃음)

낭쌤 : 하여튼 그랬던 것 같아.

염쌤 : 형한테 그 몇 명이 좀 큰 거네. 마치 수업할 때 애들의 90%가 잘 들어도 10% 안 들으면 그게 크게 느껴지듯이. 근데 그런 사람이 아예 없을 수는 없는 것 같은데.

낭쌤 : 없을 수는 없어. 있을 수밖에 없는데. 그런 걸 이제 어떻게 풀어나가야 할까, 그런 고민이 많지. 이렇게도 해보고 저렇게도 해봤지만, 안 되는 부분도 있는 것 같고.

염쌤 : 솔직히 그건 답이 없어. 난 그래도 그 사람 때문에 형의 그 어울림을 판단 짓는 건 아닌 것 같아. 수업을 들은 다음에 수업의 질을 판단하는 거지, 수업을 안 듣고 판단할 수 없듯이 교류 자체가 안 일어나는 사람들과의 관계로 나의 사회성을 판단할 수는 없지 않을까요? 한 번이라도 교류가 성립되고, 교감을 해야 하는데, 그 자체가 발생 안 한 거잖아요.

낭쌤 : 근데 또 외로운 섬처럼 사는 사람은 아니거든. 그니까 교류가 안 일어나는 게 내 영향도 있는 것 같아서.

염쌤 : 흠.. 앞으로는 또 모르죠.

이쌤 : 저는 낭쌤이 많은 사람과 잘 어울리는 분이라고 생각했는데 너무 겸손하신 것 같아서 좀 민망한데, 저도 잘 어울리는 사람이라고 생각을.. 하거든요.

염쌤 : 솔직히 말씀하셔도 돼요.

이쌤 : 했어요. 저는 동료들과 잘 어울리는 교사라고 생각해요. 저는 사람 만날 때 인사가 가장 중요하다고 생각하거든요. 그래서 친하든 친하지 않든 만나는 사람한테 인사를 잘하려고 노력하는 편이고요. 그리고 또 '인사를 하지 않는 분을 언젠가 인사하게 만드는 것'을 제가 좋아해요. 약간 승부욕을 가지는 지점이거든요. 근데 그렇게 된 분이 몇 분 있어요. 거의 한 3년 동안 인사를 잘 안 받아주시다가 올해 인사를 잘 받아주시더라고요. 그래서 저는 모든 사람하고 인사를 잘하고 다니기 때문에 동료와 잘 어울린다고 생각해요. 그리고 여러 선생님이 모임에 불러주시고, 수업 연구도 같이하자고 하시니까, 잘 어울려서 그런 게 아닐까요? 약간 이런 자만?도 해봤어요.

염쌤 : 맞는 말이지.

이쌤 : 좀 부탁하기 어려운 독서토론 같은 것도 저한테 해달라고 하시더라고요. 그러니까 나쁜 관계가 아니니까 '이런 것이 들어오는구나'라고 생각해요. 불편한 관계면 어려우니까요. 그리고 전 복도에서 안 심심해요. 복도를 지나다닐 때마다 인사하고, 수다 떨고. 약간 쉬는 시간이 없긴 하지만 복도나 화장실에서 심심하지 않다는 건 잘 어울리고 있어서 그런 거 아닐까요?

평쌤 : 산뜻한 해석이네요.

이쌤 : 근데 좀 잘 못하는 거는 잘 어울리긴 하지만 누군가를 잘 챙겨주지는 못하는 느낌? 선배 교사들이 다 챙겨주셔서 챙김을 받는 건 되게 잘하고 있는 것 같은데 아직 제가 누군가를 챙겨주거나 신경 써주거나 보이지 않는 걸 보는 거는 잘 못하는 것 같아요. 그래서 그게 제 목표에요. 그런 분들이 있으시더라고요. 누군가를 잘 챙겨주시는 분들이.

염쌤 : 그런 생각을 하니까 잘 어울리는 거죠.

이쌤 : 네 그렇습니다.

낭쌤 : 나도 갑자기 괜찮은 것 같은데? (웃음)

염쌤 : 인사+안부 묻기, 좋아요. 안부를 묻는다는 건 친하다는 증거 아닌가? 그 한마디가 있냐 없냐가 느낌이 확 다른 것 같아요. 근데 한없이 무심한 목례, 정말 어쩔 수 없이 '네가 인사를 하니까 내가 받는다.'라는 느낌을 주는 인사는 안 하는 것만큼 별로인 것 같아요. 그래도 잠시 멈춰서서 "어디 가? 밥 먹었어?" 이 말을 하는 게 되게 필요하다고 생각하는데 동료끼리 그 말이 너무 없어져서 아쉽죠.

이쌤은 그게 잘 되니까 안 심심하다는 거고, 형은 그게 안 돼서 외로운 건가요?

낭쌤 : 잘 되는데요? 몇몇이 그렇다는 거지.

염쌤 : 아무튼 인사하기 운동이 있으면 좋을 것 같아.

이쌤 : 약간의 캠페인 느낌으로 '인사 + 안부!'

염쌤 : 있으면 좋지 않을까?

낭쌤 : 캠페인이면 일이 돼.

염쌤 : 아, 그러면 일단 우리 일합시다.

평쌤 : 제가 생각하는 잘 어울리는 교사는 첫 번째로 그냥 다른 사람들과 마찰이 없는 교사라는 생각을 했었고, 두 번째로는 그거를 넘어서서 모두랑 친하게 지내고 말을 편하게 나눌 수 있는 교사라고 생각했어요.

근데 두 번째는 아무래도 좀 극히 드문 사례인 것 같더라고요. 사실 모든 사람과 호의적인 관계를 가지는 건 쉽지 않은 일이고, 모든 사람이 저를 좋아할 수는 없는 거잖아요. 선생님들끼리 서로 대화가 활발하게 이루어질 수 있는 환경도 아니니까 제가 느끼기에는 마찰이 없으면 그냥 잘 어울리는 교사라는 생각이 들어요. 그런 기준에서 저는 잘 어울린다고 생각합니다.

낭쌤 : 오, 자신감!!

평쌤 : 저는 두루두루 모든 선생님과 잘 어울리기보다는 소수의 사람과 깊은 연대감을 느끼는 걸 중요하게 생각하거든요. 그래서 처음에는 이게 맞나 싶은 생각이 좀 들었어요. 왜냐하면 선생님이라는 직업 자체가 조금 친화력이 있어야 한다고 생각했기 때문에 나도 좀 나서서 선생님들에게 말을 걸고, 좀 노력해야 하는 게 아닌가 싶었죠. 근데 가만히 생각해 보니까 학생들도 좀 부류가 다르잖아요. 정말 모두하고 잘 지내는 인싸 같은 아이들이 있는 반면에 소수랑 잘 지내는 애들도 있고. 그래서 어떤 게 옳고 그르다는 문

제는 아닌 것 같다고 생각했어요.

다만 너무 혼자만의 세계에 갇혀 있지는 말자고 생각해요. 너무 혼자만의 세계에 갇혀 있으면 이렇게 피드백을 받을 수도 없고. 뭔가 인간관계에서 나오는 그 다정함도 직장생활에서 중요한 부분이니까요. 결론은 '마찰이 없는 교사'는 '잘 어울리는 교사이다.'입니다.

염쌤 : 오케이, 마찰이 없는.. 좋네요. 이번엔 제 얘기를 해보겠습니다. 일단 저는 '잘 어울리고 싶어 하는 사람'이에요. 잘 어울리고 안 어울리고 결과에 상관없이 그냥 잘 어울리고 싶어 하는 사람이지만, 한편으로는 그게 불가능함도 알아요. 그래서 그 결과가 '상관없다'라는 생각도 동시에 해요. 그래도 잘 어울리고 싶어요. 이 정도가 제 입장이에요.

그럼 이어서 질문하겠습니다. 친구랑 동료는 다르잖아요. 지금까지 얘기했던 건 어떻게 보면 친분과 관련된 문제, 나는 얼마나 많은 사람과 친한가, 친하게 지내고 있는가에 가깝다고 생각해요. 근데 속사정은 정확히 모르지만, 우리와 같은 특정직 공무원인 소방, 경찰 이런 직업군들은 안 친해도 동료 의식은 있는 것 같아요. 그리고 그 배경에는 친분이 아닌 같은 일을 하고 같은 경험을 공유하고 있다는 의식이 있기 때문이라고 생각하고, 그게 동료 의식인 것 같아요.

염쌤 : 근데 교사는 동료 의식이 다른 직업군보다 좀 없는 것 같아요. 오늘 대화를 나눈 내용도 어찌 보면 교사가 동료 의식이 없어서 그런 고민을 유발한 것은 아닌가. 그런 판단이 드는 거죠. 그래서 제 질문은 '왜 교사는 동료 의식이 부족한가?', '어떻게 하면 동료 의식을 키울 수 있을까?'입니다.

낭쌤 : 정리가 안 되는데.

염쌤 : 제가 생각할 때 기본적으로 교사는 고립된 업무 구조를 갖고 있어요. 수업은 고립되고, 외로운 상황에서 진행되고, 본인을 제외하고 아무도 도와줄 수 없죠. 다른 행정 일도 마찬가지예요. 인력이 부족하다 보니 한 명의 교사가 하나의 독립된 행정 업무를 맡고 있죠. 그 한 분이 없으면 그 일은 멈춰요. 그래서 연가를 쓰는 게 아무 의미가 없죠. 일이 진행 안 되고 그대로 멈춰있으니까 쉬는 게 아니라 다른 시간에 일을 하는 것이 되죠.

재밌는 건 독립된 업무 구조라 서로의 일을 정확히 알 수도 없고, 능력도 비교하기가 힘들지만, 끊임없이 성과를 평가당하고 다른 교사와 비교당하죠. 심지어 학원가와도 비교당하고, 알지도 못하는 과거의 다른 선생님과 비교당하고. 비교하는 건 사람의 본성에 가까워서 어쩔 수 없긴 하지만 전혀 객관성이 없는 상태에서 상시로 비교당하는 업무 구조는 결국 교사들의 사이를 멀어지게 하고, 동료 의식을 약화시키죠. 많은 선생님께 동료 교사를 약간 잠정적 경쟁자로 여기는 성향이 나타나는 건 그런 구조 속에 놓여 있기 때문이 아닌가 생각합니다. 특히 같은 교과에 가까운 사이일수록 그렇게 관계가 변질되기 쉬워요. 학생들이 쉽게 비교하고, 평가하니까요. 그러면 의심이 시작되죠. 내가 가르치지 않은 걸 가르치진 않았는지, 시험 문제와 관련한 힌트를 더 많이 준 것은 아닌지, 이런 의심 아닌 의심이 쌓이면 결코 건전한 동료 관계를 구축할 수가 없죠. 오히려 경쟁자처럼 느껴지게 되죠. 학생들은 생각 없이 "저 반에서 했다는데 우리는 안 해요?"라는 말을 편하게 하지만, 그 말을 듣는 선생님들에게는 크게 다가오거든요.

학생뿐만이 아니라 선생님들끼리도 '누가 편하다. 어떤 자리가 편하다.'라는 이야기를 많이 하고, 서로의 능력에 대해 예민하게 평가하는 분위기가 형성되어 있으니, 선생님들께서 기댈 수 있는 자리가 좀 없어 보입니다. 바빠서 대화도 어렵고, 내 업무는 오롯이 스스로 해결해야 하는데 평가까지 날카롭다 보니 어디에 정을 붙이고 어떻게 동료 의식을 가지겠어요? 너무 슬프죠.

더 나아가면 어떤 업무를 맡느냐가 직장생활에 엄청 큰 변수가 되다보니 업무 기피 현상이 심해지고, 그러면서도 편하다는 얘기는 듣기 싫으니까 오히려 다른 업무를 경시하는 악순환이 반복되고 있습니다.

낭쌤 : 너무 슬픈데.

염쌤 : 슬프죠. 어떻게든 자기를 내세우려고 노력하는 것도, 남을 낮추려고 하는 것도 구조 속에서 불이익을 받지 않으려는 슬픈 몸부림이에요. 특히 성과급이 좀 그렇죠. 여러 업무의 곤란도 순위를 정하는 과정 자체가 업무를 비교하게 만들고, 서로 힐난하게 만들죠. 정말 정확하게 곤란도를 측정할 수 있으면 아무런 문제가 없겠지만 그럴 수가 없잖아요. 그 불확실성이 갈등 요소를 남기는 거죠. 아무리 선비 같은 사람도 '당신이 하는 일은 별거 아니잖아.'라는 말을 들으면 기분이 좋을 수가 없죠.

이쌤 : 그래서 사람들이 항상 '힘들다'는 말을 하는 것 같아요.

염쌤 : 선생님들이 자주 하는 질문 중에 '요즘은 한가해?', 또는 '요즘은 바빠?' 같은 것이 있다는 게 반증이죠. 사실 나의 바쁨에 큰 관심이 있을 이유가 없는데, 계속 관심을 가져요. '거긴 편해? 내년에 그 자리 희망할까?'라는 표현도 어찌 보면 무례한 말인데 되게 편하게 해요. 이 구조 속으로 자연스럽게 저런 의식들이 들어와 있어.

낭쌤 : 민원이랑 징계도 영향이 있을 것 같아.

염쌤 : 그죠. 교사도 공무원이라 징계와 민원에 대한 공포가 항상 있죠. 왜 공포냐면 징계와 민원은 잘잘못을 따지기 전에 일어나요. 이게 공포예요. 내가 잘못했다고 생각하든 생각하지 않든 민원은 들어오고 일은 진행되죠. 일단 발생 자체가 안 좋은 일이 되니까 무섭죠. 그리고 이 공포를 다스리기 위해 평소 이미지를 구축하는 거죠. 나는 '잘못하지 않는 사람이다.'라는 이미지. 학교 일이라는 게 정확하게 잘 모르니까 이미지가 크게 작용하잖아. 무슨 일 터지면 항상 누군가를 바라보게 되고.

평쌤 : 사람의 이미지가 진짜 큰 것 같아요.

염쌤 : 지금까지 말한 게 업무의 구조적인 문제라면 위험한 발언이기는 하지만 지나치게 삶과 일을 구분하는 풍토가 너무 깊게 자리 잡은 것도 좀 문제라고 생각해요. 개인의 삶도 중요하지만 일을 통한 자아실현도 중요하잖아요. 학교가 그런 가치를 교육하는 기관이기도 하고. 근데 막상 일을 통해서 자아실현하려고 하는 의지를 가진 교사는 많지 않은 거 같은 거죠. 너무 '워라벨'만 얘기하는 건 아닌가 그런 문제의식? 그렇다고 모든 교사들의 성정이 문제라서 그런 건 당연히 아니고, 기본적으로 되게 열심히 사시는 분들이잖아요.

이쌤 : 그죠. 자세히 보면 다들 엄청 열심히 하시죠.

염쌤 : 맞아요. '월라벨' 자체도 사실 일을 열심히 하지 말자는 건 아니죠. 그럼에도 선생님들이 일과 삶을 철저히 분리하려고 하는 것은 일종의 보상 심리라고 생각해요. 열심히 공부했고, 열심히 살아왔던 사람들이 막상 선생님이 되고 보니까 월급은 너무 적고, 예전과 달리 우호적으로 바라보거나 존경하는 것도 아니고, 걸핏하면 죄인 취급하니까 보람을 느끼기가 쉽지 않죠. 그래서 자기 자신에게 주는 일종의 보상으로 삶과 일을 분리하는 건 아닌가. 퇴근 이후의 삶은 어떻게든 지키겠다. 그것마저 없으면 교사는 아무 메리트가 없다. 그런 판단을 한 건 아닌가 생각해요.

낭쌤 : 약간 그런 것도 있는 것 같긴 해.

염쌤 : 근데 그렇게 일과 삶이 철저하게 분리되면서 동시에 일터에 있는 사람과도 같이 분리되는 경향이 생기는 거죠. 개인적으로 친분이 깊은 사람들은 있겠지만, 회식이라고 하면 그 자체로 무조건 싫어한다거나 긴 시간 같은 학교에서 근무해도 별로 다른 사람들에게 관심을 가지지 않는다거나. 그런 현상은 결국 삶과 직장이 너무 멀어져 버려서 생긴 현상이 아닐까, 싶어요. 어떤 것 같습니까?

이쌤 : 다 맞는 것 같은데요?

평쌤 : 저도 공감돼요.

이쌤 : 저는 간단하게 문과-이과가 생각하는 방식이 다르다는 얘기를 많이 하잖아요. 선생님들도 배우고 경험한 게 다르니까 어쩔 수 없다는 생각을 하거든요. 원래 어떤 사고 형태를 가졌든 간에 대학교에서 배우고, 경험한 것이 다 다르니까 서로 사고방식이 다를 수밖에 없고, 심지어 선생님들은 전공이 다 다르잖아요. 그러니까 더 동료의식이 있기 힘든 것 같아요.

아까 소방 얘기를 하셨는데 어쨌든 그 분들은 소방과 관련된 뭔가를 같이 배웠을 테지만 우리는 공통분모라기엔 교육학밖에 없죠. 그러니까 일상에서 만나는 아이들 외에는 공통적으로 가질 수 있는 관심사나 얘기할 수 있는 소재가 없다고 해야 되나. 교무실에서 선생님들끼리 얘기하는 주제도 가족, 재테크 이런 것들이 많잖아요. 내가 관심 있는 학문이나 깊이 있게 얘기할 수 있는 게 없어서 더 동료 의식이 없는 것 같아요. 반대로 같은 과목을 가르치는 선생님하고는 조금 더 얘기할 수 있는 게 많다는 생각이 들어요.

낭쌤 : 전공의 차이, 확실히 있지.

이쌤 : 그럼에도 불구하고 학교라는 같은 공간에서 매일 다양한 상황들이 벌어지니까 깊은 관심사는 아니더라도 얘기할 소재는 많다고 생각해요. 저는 처음 신규가 됐을 때 충격이었던 게 교무실에서 선생님들이 아이들 얘기를 하는 거였어요. 그러니까 아이들 행동에 대해서 좋고 싫음을 가감 없이 막 얘기하셨어요. 전 이게 나름대로 되게 충격적이었거든요. 근데 지금 생각해 보면 그 때는 충격이었지만 이게 선생님 간의 하나의 소통 방법이라는 생각도 들어요. 그래서 지금은 저도 같이 해요.

이번에 서이초 사건이 터지면서 교사들의 동료 의식이 엄청나게 드러난 것 같다는 생각을 했어요. 여의도에 엄청나게 많은 분들이 모이셨잖아요. 동료 의식이 적은 줄 알았는데 아니었던 거죠. 동료 의식을 높이려면 다른 사람의 문제를 내 문제처럼 바라볼 수 있어야 하는데, 내가 직접 겪지 않는 이상 사실 그게 쉽지 않잖아요. 그러니까 최근 선생님들이 정말 많이 힘들어서 동료 의식이 높아진 것 같아요. 안타깝죠.

동료 의식을 높이는 방법에 대해서는 잘 모르겠지만 개인적으로는 상대의 문제가 언제든지 나의 문제가 될 수도 있다는 거를 인식하고, 그 상대가 어떤 문제를 겪을 것 같을 때 나서주고 같이 고민해 주면 조금씩 동료 의식이 높아지지 않을까라는 생각이 들었습니다.

염쌤 : 사실 서이초 사건 때 선생님들이 모인 거 보고 다들 되게 놀랐지. 교사가 그런 적이 없으니까. 그게 동료 의식이었는지, 위기감에서 나온 거였는지는 잘 모르겠지만. 아무튼 역지사지 필요하죠.

평쌤 : 앞에서 다 말씀을 하셔가지고 딱히 할 말은 없지만 제가 제일 크게 느끼는 부분은 선생님들이 같이 있는 시간이 절대적으로 부족한 것 같아요. 수업시간도 서로 다르고 하다 보니 제 앞자리에 있는 선생님도 하루에 한 두 시간 얼굴 볼까 말까 하거든요. 어떨 때는 아예 시간이 안 겹쳐서 진짜 말 한마디도 못하는 경우가 많았어요. 그리고 선생님들은 야근도 잘 안 해서 긴밀하게 소통할 시간이 거의 없는 것 같아요.

그래서 해결 방안이라고 하기는 좀 그렇지만 개인적으로 사적 공간과 시간을 확보하는 것도 중요하지만 교사 워크숍도 좀 활성화를 해야 하지 않을까라는 생각이 들었습니다. 요즘은 '워라벨' 때문에 교사 워크숍을 다들 기피하는 분위기라서 잘 이루어지지 않는 것 같은데 개인적으로 저는 좀 필요하다고 생각해요. 그리고 사적인 회식 자리라든지, 전체 회식도 저는 분명히 필요하다고 생각을 합니다.

염쌤 : 함께하는 시간이 부족하다는 거 되게 공감돼.

낭쌤 : 나는 처음 질문 받고 의아했던 게 우리가 동료 의식이 그렇게 없나? 그런 생각이 들었어. 나는 그래도 선생님들이 어떤 문제를 해결하기 위해서 동료 의식을 가지고 있는 것 같거든.

아까 말한 소방관이나 경찰관들은 업무의 방법이 거의 똑같잖아. 단순하게 보면 업무를 처리하는 데 다양한 방법이 있는 것은 아닌 것 같은데, 학생을 교육하는 건 방법이 다양하잖아. 그러다 보니까 '가르치는 방법'에 있어서 불협화음이 많이 일어나는 것 같아.

지금은 아니지만 예전에 담임 선생님이 핸드폰을 모두 걷어야 하는데 어떤 선생님은 핸드폰을 안 걷으셨어. 방과 후 수업도 강제로 안 시키고, 할 사람만 하게 하셨지. 야간 자율학습도 다른 반은 모두 남기는데 그냥 보내시고. 나머지 담임 선생님들은 야간 벙쪘지. 애들은 맨날 "저 반은요?"라고 하는데 할 말도 없고. 그 선생님은 물론 자기의 가치관을 가지고 자기 노선을 걸어간 것뿐이지만, 학교의 지시를 받고 움직이는 다른 사람들은 그 상황에 대처하기 위해 많이 고민한 기억이 있어.

염쌤 : 동료 의식이 있는 것 같다고 했는데, 왜 동료 의식이 없는 것 같은 사례를 얘기해요? 아, 그 선생님빼고 나머지 분들끼리 동료 의식이 생겼다는 말인가요?

낭쌤 : 아니, 그냥 생각이 나서. 진짜 옛날에는 교직원 워크숍도 많이 하고, 늦게까지 야자하고, 토요일에도 나와서 감독하고, 그랬더니 선생님들이랑 되게 끈끈하기는 했어. 근데 지금은 동료 의식이 있는 건가 없는 건가 혼란이 막 오고 그러네.

아무튼 다 각자만의 교육 철학이나 방법이 있는데 그게 맞지 않으면 불협화음이 있을 수 있는 것 같아. 중요한 건 그렇게 불협화음이 생겼어도 대화하고, 소통하면서 치유를 해야 하는 건데 그런 자리가 좀 많이 부족해진 것은 사실이지. 지금 하고 있는 동아리 활동이든 교과 모임이든 이야기 할 수 있는 시간이 많아지면 좋겠어. 고민하고 이야기하다보면 끈끈해지기도 하고, 유대감도 생기고. 그런 게 힘든 상황을 조금 이겨나갈 수 있는 방법이 아닐까?

서이초 사건은 정말 교사들이 집단적으로 같이 공유하고 고민해야 하는 문제가 발생해서 모인 것 같긴 해. 선생님들이 정말 분노했던 것 같고. 이번을 계기로 그런 문제가 있으면, 교사들도 모일 수 있는 단체였구나 생각했지.

이쌤 : 근데 맨날 야자하고, 토요일까지 나오는 건 자기 삶이 너무 없어지는 거 같은데요?

낭쌤 : 지금은 안 돼지. 그때는 그런 환경이었고, 그 환경에서 오래 같이 있으니까 끈끈했다는 의미였어.

평쌤 : 요즘은 자발적으로 모이면 되니까 더 좋은 것 같아요.

낭쌤 : 응. 그리고 가끔 느끼지만 업무를 할 때 아까 얘기했던 것처럼 업무 구조가 혼자일 수밖에 없는 거죠. 근데도 같이 있어주거나 관심 가져주거나 진짜로 같이 도와주거나 그런 게 한 꺼풀이라도 있으면 마음이 해소가 되더라고.

염쌤 : 동료 의식이라는 게 '조금 있다, 많이 있다'보다는 '있다, 없다'의 문제 같아. 그러니까 동료 의식은 있지만 행동은 약한 사람도 있을 수 있지. 그런 건 아무런 문제가 안 돼. 근데 그게 아니라 내가 문제 삼는 건 동료 의식이 아예 없는 사람이 학교에 꽤 많다는 거죠. 이 문제를 나는 제도적인 Top-Down 방식으로 변화시킬 수 있을 것 같지는 않아. 왜냐하면 동료라는 게 그런 거잖아요. 동료 교사와 친해지는 정책과 전략을 만든다는 것도 웃기고. 그래도 동료 의식이 생기려면 결국 함께하는 시간을 만들어야죠. 단순히 학교라는 공간에서 함께하는 것이 아니라 서로 대화하고 고민하는 시간이 필요합니다.

낭쌤 : 근데 그런 시간을 만드는 게 진짜 어렵더라고.

염쌤 : 다들 바쁘고, 육아도 해야 하고. 쉽지 않지.

낭쌤 : 지금 이런 자리가 결국 그런 것 같아. 얘기 많이 나누고.

염쌤 : 근데 나는 평쌤이 얘기한 것 중에 '마찰이 없는 교사', 이거 진짜 힘들다고 생각해. 특히 나이가 들수록, 역할이 많아질수록 더 힘들어. 마찰을 줄이는 교사? 매끈한 교사? 정도는 노력하는데 마찰이 아예 없기는 쉽지 않아.

사실 마찰이 없는 교사가 동료랑 잘 지내는 교사라고 가정하면, 나는 아마 잘 어울리지 못하는 교사인 것 같은데. 나는 마찰이 좀 많아. 미끄럽게 빠져나가려고 하긴 하는데 잘 안 되더라고. 그래도 막 척을 지지는 않아.

낭쌤 : 나도 척을 안 지려고 노력하지.

염쌤 : 이게 어려워. 근데 타고난 사람들이 있는 것 같아. 타고났다고 하면 내가 노력하지 않아도 되는 변명 같긴 한데, 성정 자체가 부드럽고 그런 사람이 있어. 평쌤도 약간 그런 타입인 것 같아. 근데 나는 그런 사람이 아니더라고.형도 잘하지 않나? 나 빼고 다 잘하는 것 같은데?

낭쌤 : 나도 쉽지 않아.

이쌤 : 저도 좀 어려워요. 또 갈등이 생길 때는 굉장히 크게 생겨가지고.

염쌤 : 고민해 봅시다. 마찰력을 줄이는 법. 중요한 것 같아요. 근데 또 말투가 부드러워서 표면적인 싸움으로 안 간다고 갈등이 없어지진 않아. 그러니까 표면적 싸움이 없는 것과 진짜로 마찰이 없는 건 좀 달라. 교장 선생님과 마찰 있는 사람은 거의 없어. 근데 '교장 선생님이 정말 마찰이 없는 교사냐?'라고 물어본다면 좀 애매하지. 이거 좀 고민해야 될 문제가 아닐까 싶네.

너무 길어지니까 그럼 일단 여기까지 하겠습니다.

쉬는 시(詩)간

남겨진 것들의 계절

평쌤

봄이 훌쩍 다가오는 계절이었다
이제 막 싹트기 시작한 어린 잎사귀들과
하염없이 서성이는 마음들
잡으려면 잡을 수 있을 줄 알았다

생기가 흘러 넘치는 이곳에
외로이 남겨진 것은
가볍고 잔잔한 꿈들이었다

맑고, 따뜻하고, 푸른 계절 속에
시리도록 흔들리는 우리는
어디로 가는지 중요하지 않았다
남겨진 것들의 계절이었다

4교시 우리의 방향은..

청소

염쌤 : 이번에는 가볍게 청소에 관해 얘기하죠. 사실 청소라고 하면 별것 아닌 것 같지만 학교에서 청소는 꽤 오래된 문제죠. 담임을 맡을 때 참 어려운 것 중 하나가 청소 지도잖아요. 아무리 1인 1역할을 부여해도 청소를 안 하는 애들 안 하고, 늘 희생하는 친구는 희생하게 되고.

2021년이었나요? 그때 인권위에서 '교무실 청소는 학생들한테 시키지 말라'는 결정이 나서 학생들의 청소 구역에서 교무실이 빠지기도 했죠. 기억나는 게 꽤 많은 사람이 학생에게 봉사 시간을 주고 교무실 청소를 배정하면 안 되냐고 말씀하셨어요. 당시 제가 담당자라 거부하긴 했는데 아무튼 그만큼 청소가 민감한 문제인 것 같아요.

사실 돌아보면 어릴 때 하던 화장실 청소는 현재 다 용역을 주고 있고, 복도 청소도 용역 주는 학교가 있어요. 그러니 더 나아가서 교실 청소도 그런 식으로 가자는 주장도 하더라고요.

그래서 오늘의 질문은 '청소 필요한가?', '얼마나 해야 하는가?'. 학생에게 청소시켰을 때, 순기능이 뭔지, 역기능이 뭔지, 어려웠던 게 뭔지 이런 얘기들 하면 좋겠어요.

평쌤 : 교무실 분리수거는요? 그건 봉사 시간 나오는 거죠?

염쌤 : 그거는 환경지킴이가 일괄적으로 분리수거를 하니까 교무실 청소가 아니라 딱 그것만 하는 거니까 그냥 넘어간 거지. 인권위에서 얘기한 게 절대 안 된다기보다는 교육 활동의 일환으로는 가능하다고 여지를 뒀어. 그리고 교육 활동의 일환이 되려면 교육 시간에 잡혀 있어야 하니까 봉사 시간이 정해진 봉사활동의 형태로 하는 건 괜찮다고 해석하는 거지. 그래도 점점 없어져 가고 있는 것 같아.

그러면 누가 먼저 얘기해 볼까요? 먼저 하겠다는 사람 없으면 제가 합니다.

이쌤 : 먼저 하세요.

염쌤 : 옙. 일단 청소의 본질은 먼지를 제거하고 청결 상태를 유지해서 건강을 지키는 거잖아요. 근데 제가 학교에서 학생들에게 청소를 지도하면서 힘들었던 점은 그 과정의 고단함 때문은 아니었어요. 뭔가 평상시에는 크게 신경 쓰지 않다가 수능 전날 같은 때 대청소하고, 그 학급의 청소 상태로 담임 선생님을 평가하는 분위기가 좀 불편했죠. 옛날에는 교육청에서 누가 나온다고 갑자기 청소하는 경우도 있었고. 군대도 좀 그런 면이 있는데 그렇게 청소해야 하니까 뭔가 근본적인 가치는 느껴지지 않고 의전이 됐죠.

낭쌤 : 옛날에는 심했지.

염쌤 : '그 반은 청소도 안 돼.' 이런 식의 지나가는 말들이 좀 상처가 돼요. 그래서 더 애들한테 막 시키지만, 애들은 별로 중요한 것 같지도 않고 이해도 안 되니까 당연히 잘 따르지 않죠. 애들 입장에서 청소를 잘한다고 해서 크게 칭찬받는 일도 아니고, 못했을 때 욕만 먹으니, 기분 나쁘고.
아무튼 옛날 일은 옛날 일이고, 저는 지금 봉사 시간 주면서 청소하는 것도 뭔가 청소 본연의 가치와는 상관없이 흘러가는 느낌이 좀 있지 않나 생각해요. 만약 청소 본연의 가치에 충실했다면 과연 인권위에 문제가 제기됐을까? 그들은 왜 그런 문제를 제기했을까? 이런 생각을 해보죠.
사실 주장은 간단하잖아요. '교무실 청소는 교사가 해야지, 왜 우리한테 시키냐?'라는 거잖아요. 그 지점에서 좀 서운한 마음을 느끼는 선생님도 계시는 거고. 그래도 그 주장 자체는 반박하기 힘들죠. 그렇다고 해서 그럼 '교사가 교무실 청소해야 하는가?'라고 하면 저는 그것도 아닌 것 같아요. 직장인이라면 직장 본연의 업무를 충실하게 해야지, 안 그래도 정신없는 학교에서 언제 청소하고 있겠어요. 그 시간에 한 번이라도 교재 연구 더하고, 상담 한 번 더 하는 게 낫지, 그럴 시간도 없어서 죽겠는데. 그래서 저는 용역을 써서 교무실 청소하는 게 제일 낫다고 생각합니다. 예산을 좀 확보해야 겠지만.

이쌤 : 가능할까요?

염쌤 : 최근까지는 교육계가 교사의 복지와 권리 향상에 대해서는 무관심했죠. 예산도 거의 없었고. 학생과 학부모는 잘 모르겠지만 학교는 거의 모든 예산을 학생에게 쓰죠. 그래도 최근의 어떤 흐름을 봤을 때 결국 그 방향으로 가지 않을까 싶어요.

아무튼 교무실은 그렇게 넘어가도 교실과 특별실 등 여전히 학생들이 쓰고 청소하는 공간은 좀 고민돼요. 학교에서 무언가 결정할 때 요즘 가장 많이 대두되는 가치가 '형평성', '공평함' 같은 것들인데, 청소 구역을 절대 공평하게 배정할 수 없어요. 교실은 몰라도 특별실은 모두 같지 않잖아요. 그러면 좀 힘든 특별실을 배정받은 학급은 담임 선생님이 원망받을 때도 있더라고요. '왜 우리 반이 과학실 청소를 맡았어요?' 이런 식으로 묻는 거죠. 왜가 어딨겠어요. 근데 이런 식으로 형평성 문제를 제기하면 끝도 없죠.

좀 멀리 가는 얘기 같긴 하지만 저는 교육의 가치에 형평성을 상위에 두지 않았으면 좋겠어요. 그리고 누가 사용하느냐로 청소 여부를 결정한다면 사실 학교에 학생들이 사용하지 않는 공간이 어디 있겠어요? 개개인은 자기들이 많이 사용하지 않았다고 할지 몰라도 결국 모든 공간은 학생을 위해 있는 공간이죠. 교무실이 교사 휴게실은 아니잖아요. 그러니까 그런 담론은 좀 벗어났으면 한다는 거죠.

평쌤 : 뭐 그렇기는 한데..

염쌤 : 좀 극단적인 주장일 수는 있겠지만 그런 논리로 책임을 가리는 일이 별로라는 의미에요. 사용 여부만 따지면 학생 화장실은 학생이 청소해야 하는 거죠. 근데 그러지는 않잖아요. 아무튼 저는 청소를 했다고 봉사 시간을 주는 것은 청소 본연의 가치를 해치는 일이라고 생각해서 봉사 시간도 안 줬으면 좋겠습니다. 이상 염세주의자였습니다.

낭쌤 : 정리가 안 되는데?

이쌤 : 저는 청소해서 깨끗한 것이 중요한 게 아니라 청소하는 것, 그 자체가 중요하다는 생각이 들어요. 사실 뭐 그렇게 저도 담임으로서 깨끗하게 청소를 시킨 편은 아니라서. 그래도 어쨌든 모든 애들이 다 청소하도록 최대한 노력했어요. 며칠 전에 교사인 친구랑 만나서 '학교가 꼭 필요하다고 생각해?' 이런 얘기를 했단 말이에요. 그때 교과 지식을 가르치는 것도 중요하지만 학교에서 사회화하는 것이 더 중요한 것 같다고 결론을 내렸었어요. 그리고 '내가 같이 쓰는 공간을 같이 청소하는 것'도 그 사회화 중 하나인 것 같아요. 애들이야 그냥 돈 주고 시키면 좋아하겠지만, 아무리 자본주의여도 나중에 커서 돈이 없을 수도 있는데 청소를 같이 해보는 그런 경험이 더 중요한 것 같아요.

낭쌤 : 청소를 통해 사회화가 진행되니까 필요하다?

이쌤 : 예. 맞아요. 근데 그냥 시키면 애들이 잘 안 해요. 그래서 전 학급에서 역할 분담할 때 관리자를 둬요. 청소는 안 하지만 가만히 서서 동그라미, 엑스만 치는 거예요. 그 역할을 만들었더니 애들이 엄청나게 바뀌더라고요. 그냥 '너희가 청소하고 있으면 얘가 O 표시하고, 안 하면 X 표시할 거야.' 이렇게만 얘기했을 뿐인데. 반 구성은 그 전년도 애들이 더 성실한 친구들이 많았음에도 불구하고, 관리자를 두니까 훨씬 청소가 잘 됐어요.

염쌤 : 보통 반장이 그 역할을 하지 않나?

낭쌤 : 그런 선생님도 있고, 그냥 반장도 다 청소할 때도 있고.

이쌤 : 아무튼 청소는 중요하다고 생각합니다. 근데 교무실 청소는 어쨌든 우리가 쓰는 공간이니까 애들이 하지 않는 게 옳다는 생각이 들어요. 그렇다고 교사가 해야 하는 건 아닌 것 같아요. 왜냐하면 아까 말씀하셨듯이 직장의 개념으로 생각하면 아까 얘기했듯이 누가 직장에서 자기 공간이라고 다 청소합니까? 네, 그렇습니다.

염쌤 : 약간 군대식인데? 체크, 체크, 체크.

낭쌤 : 계속 정리가 안 되는데 나는 청소를 되게 중요하게 생각하거든. '반드시 필요하다.'라는 입장이야. 자기 관리 측면도 있고 앞으로 살아 나갈 때 필요해. 성공해서 청소부를 두고 가정부를 두고 그럴 수도 있겠지만 청소는 솔직히 떼려야 뗄 수 없는, 삶의 부분인 것 같아.

청소를 해봐야 청소에 대한 고단함도 알 수 있지. 그래서 나는 잘 어지르질 않아. 그리고 어질러졌을 때 바로 안 하면 나중에 고생이니까 평소에 관리도 하거든. 그러니까 무조건 필요해. 담임하면 무조건 다 청소시켜.

이쌤 : 맞아. 맞아.

낭쌤 : 청소 시간에는 항상 반에 가서 다 확인해. 안 했으면 다시 하라고 하고. 지금 들으면 좀 그렇겠지만 초창기 때는 지름 0.5cm 이상 다 쓸라고 시켰지. 책상 위에 의자 올려서 다 뒤로 밀고, 쓸고, 닦고. 그렇게 했었지.

요즘은 평소에 애들한테 내가 그 얘기를 해. '자기 주변을 항상 깨끗하게 하면 굳이 우리 전부가 크게 청소할 필요가 없다. 자기 주변 정리만 잘하자.' 근데 그게 또 되나? 그러니까 자기가 쓰는 교실은 당연히 청소해야 한다고 봐. 그리고 꾀를 부리거나 참여하지 않는 학생들에게 제재가 필요한 것도 맞고.

평쌤 : 빡빡하네요?

낭쌤 : 그런 편이지. 솔직히 그런 걸로 갈등도 좀 겪었어. 자기는 청소했는데 안 했다고. '선생님은 왜 맨날 그러시나요?', 학부모까지 전화해서 '우리 딸은 맨날 청소했다고 하는데 억울하다.'라고 말씀하시고. 그 엄마한테 '제가 매일 가서 보고 있어요.'라고 답하긴 했는데 좀 그랬지.

염쌤 : 청소 지도가 진짜 심력이 많이 낭비되는 일이야.

낭쌤 : 당신이 분리수거장 할 때 쓰레기봉투가 너무 많이 나온다고 얘기한 적이 있거든. 그래서 나도 봤는데 쓰레기가 반도 안 찼는데 쓰레기봉투를 버리더라고.

이쌤 : 근데 버려요?

낭쌤 : 응, 너무 놀랐어. 한번은 '선생님, 저 쓰레기봉투 한 번도 안 묶어봤는데 어떻게 묶어요?' 이러더라고. 이럴 수가 있나? 싶더라고. 그래서 내가 꽉꽉 눌러서 '더 채울 수 있어. 버리지 마.'라고 했더니, '선생님, 냄새가 나서 버려야 해요. 날파리가 있어요.'라고 하더라고. 그럼 묶어놨다가 다음에 더 채워서 배출하라고 했지. 그 친구는 2학기 때 분리수거 도우미를 신청 안 하더라고. 나한테 데였지.

염쌤 : 음식물을 일반 쓰레기봉투에 버렸네. 그런 일을 통해 먹다 남은 걸 함부로 버리면 안 되는 다는 걸 알게 되는 거지. 계속 봉투를 빨리 버리면서 해결하면 안 되지.

낭쌤 : 맞아. 그래서 그 분리수거 하는 애들이 힘드니까 계속 분리수거함 위에 글을 붙이더라고. '캔은 씻어서 버려줘.', '우유 팩은 어떻게 해줘.' 교육이 된 거지. 나도 우리 반 애들한테 분리수거 하는 애들 힘들다고 계속 잔소리하고.

염쌤 : 진짜 쓰레기 버리고 처리하고 그런 곳에서 인간성이 보여. 빛나지 않는, 어두운 곳에서. 그래서 그런 부분이 잘 되는 게 가장 중요한 사회화가 아닌가 싶어요.

낭쌤 : 최소한 공부할 수 있는 환경은 유지해야지. 굳이 청소가 필요 없는 날은 가볍게 하기도 하고.

그리고 교무실 청소는 내가 하는 것도 괜찮아. 그런데 내가 교무실에서 대놓고 사람들 있을 때 청소를 시작하면 다른 사람이 불편해질 수 있잖아. 가만히 있기도 뭣하고. 뭘 해야 할 것 같고. 그래서 사람들 없을 때 청소기 한번 쓱 밀고, 싱크대 한 번 쓱 닦고 그래. 누가 있을 때 하면 나도 부담되더라고. 그렇다고 '우리 청소합시다, 다들 자기 자리 청소하세요.' 이거는 좀 힘들 것 같고. 용역 불러서 청소해줄 것 같지도 않고, 다들 알아서 하는 것 같아.

염쌤 : 용역은 아직 멀었지.

낭쌤 : 정 더럽다 싶으면은 그냥 우리가 해야지 뭐.

염쌤 : 실제로 교무실에서 청소하는 날을 아예 잡아서 하는 학교도 있더라고. 일주일 한 번? 근데 그것도 좀 부담이야.

평쌤 : 동시에 청소할 수 있는 시간이 없죠.

염쌤 : 그러니까 빈 시간이 필요해.

낭쌤 : 자기 공강 시간에 하는 거지. 아침에 1등으로 음악 틀어 놓고 종이 떨어진 거 줍고 좀 청소하고.

염쌤 : 그리고 선생님들이 학교를 계속 옮기고, 자리도 매년 바꾸니까 공간 자체를 개선하거나 깨끗하게 만들려는 의지가 좀 떨어지기도 해요. 어느 학교든 아주 오래 묵혀둔 것이 보이잖아요. 자발적으로 하는 게 제일 좋은 거긴 한데 쉽지 않죠.

평쌤 : 저는 제가 학생일 때 느끼는 청소랑 교사가 돼서 느끼는 청소랑 전혀 달랐어요. 학생일 때는 되게 귀찮은 일이고, 솔직히 왜 해야 하는지 몰랐죠. 선생님들이 먼지가 쌓여서

건강에 해롭다고 얘기하지만 대수롭지 않았어요. 근데 교사가 되니까 교실이 뭔가 나의 교실이라는 생각이 딱 들더라고요. 우리 애들의 공간이기도 하고. 그러니까 청소하고 싶어지는 거죠. 먼지 쌓이는 게 보이면 '애들이 먼지 먹으면 안 되는데'라는 생각도 들고.

남자반 맡았을 때 애들이 축구하고 들어오면 교실에 흙이 엄청 쌓여요. 근데 애들이 거기서 좋다고 놀고 있으면 너무 화딱지가 나더라고요. 그래서 일부러 더 청소시키고 그랬던 것 같습니다.(웃음)

근데 왜 애들이 청소를 싫어하는지 생각해 봤는데 청소를 벌칙 개념으로 쓰는 선생님이 많으셔서 그런 건 아닌가 생각해요. 저도 지각한 애들 청소시켰거든요. 그래서 더 싫어하지 않았나 싶기도 하고. 또 청소시켜도 제대로 안 해서 애들 가면 제가 남아서 하고 그랬죠. 이게 반복되니까 좀 심적으로 허탈하더라고요. 아무튼 저는 애들이 교실에 대한 주인의식, 책임감이 좀 생기길 바라긴 해요. 아무래도 30명이 한 교실을 쓰니까 책임감이 적어질 수밖에 없긴 하지만. 공동체 의식을 위해! 건강을 위해! 청소는 해야 합니다.

염쌤 : 오, 강한 주장 좋아!!

이쌤 : 평소랑 좀 다른데요?

평쌤 : 하하. 교무실 청소는 전반적으로 의견이 비슷한데 만약 선생님들이 청소해야 하면 다 같이 하는 게 좋아요. 날 잡아서 같이 청소하면 더 친해질 수도 있고.

염쌤 : 그것도 하나의 즐거움이 될 수 있지.

낭쌤 : 끝나고 청소 콜?

평쌤 : 그래도 현실적으로는 업체를 쓰는 게 좋을 것 같아요.

염쌤 : 학사 일정상 청소 시간이 너무 짧아.

이쌤 : 맞아. 15분.

염쌤 : 이동 시간을 빼면 제대로 된 청소가 이루어지기 힘들죠. 그러니까 창체 시간으로 따로 잡지 않으면 평소에 하는 청소는 사실 대충 할 수밖에 없어.

낭쌤 : 평소에 너무 긴 것도 스트레스가 심해.

이쌤 : 맞아요. 그냥 한 20분?

염쌤 : 뭐, 알겠습니다. 그럼 청소는 여기까지.

학교생활기록부

염쌤 : 오늘 주제는 학교생활기록부(이하 생기부)죠. 혹시 관련해서 준비한 질문이 있을까요? 생기부는 꽤 큰 범위지만 두 가지에 초점을 맞추고자 합니다. '교과 세부능력 특기사항(이하 교과 세특)'과 '행동 특성 및 종합의견(이하 행발)'. 현재 이루어지는 교육 활동 중 가장 선생님들이 많이 신경 쓰시고, 의미 있는 기록이 교과 세특과 행발이죠.

일단 교과 세특은 교과 교사가 입력의 주체고, 행발은 담임선생님이 주체인데. 초중등교육법에서 학교생활기록부를 왜 써야 하는지 한번 찾아봤어요. '초중등교육법 제25조'에 목적이 있더라고요. '학업 성취도와 인성 등을 종합적으로 관찰 평가하여 학생 지도 및 상급 학교의 학생 선발에 활용할 수 있는 자료를 기준에 따라서 작성 관리해라.'라고 쓰여 있어요. 그러니까 생기부를 쓰는 목적은 첫 번째는 '학생 지도', 두 번째는 '상급학교 학생 선발 활용'인 거죠.

'목적이 적절한가?', '지금의 생활기록부 체제가 목적을 달성하고 있는가?' 여기에 대해서 한번 얘기해 볼까요?

어려운 질문이니까 좀 더 구체화해서 '어떤 학생의 전년도 생기부 기록이 현재 내가 학생을 지도하는 데 도움이 된 적이 있나요?'

평쌤 : 음..(웃음)

염쌤 : 아니면 생기부를 덜미로 해서 현재 학생들을 지도하라는 의미였나? 두 번째면 어느 정도 되는 것 같기도 한데, 학생 지도를 위한 참고 사항으로서는 무기력한 것 같네.

상급학교 학생 선발의 목적은 '수시'라는 입시 체제에서 쓰고 있으니 충분히 목적을 실현하기는 하죠. 다만 '학생 선발 자료로서 현재의 생기부가 적절한가?' 이런 의문도 들고. 그래서인지 생기부 관련 지침이 꽤 자주 바뀌기도 하죠. 대부분 어떤 항목이 수시에 반영이 되냐, 안 되냐는 문제이긴 하지만. 아무튼 여러 가지 의문이 드네요.

한 번 자유롭게 얘기를 하면 좋겠습니다. 일단 크게 한번 가볼까요? 현재 생기부 체제에 대한 진단을 해보죠. 지금 돌아가는 방식이 적절한지, 잘 이루어지고 있는지 본인의 생각이나 질문을 말씀해 주세요.

염쌤 : 낭쌤, 질문 준비했던 거 아니야?

낭쌤 : 하긴 했는데 되게 원론적인 거야.

염쌤 : 원론적인 거 좋아. 먼저 얘기해 봐.

낭쌤 : 일단은 주제가 생기부라고 해서 맨 처음 생각한 거는 '생기부가 필요한가?'. 교사가 학생들을 관찰하고 평가하고 생기부에 무언가를 적어야 한다는 거에는 동의하거든. 근데

지금 생기부 기록이 괜찮은 거냐라는 거에 대해서 생각하면 다 부정적인 것밖에 안 떠오르더라고.

상급학교 진학을 위한 자료로 활용되니까 생기부가 더 많이 중요해지고, 그러다 보니까 생기부 체제가 학업 성적이 우수한 학생이 중심인 질서라는 생각이 들었어. 만약 내가 이 부분에 반기를 들면 굉장히 거대한 질서와 싸우는 게 돼. 계란으로 바위치기지. 그러니까 내가 소신껏 바꿀 수도 없고, 저항할 수도 없고 무력하게 끌려갈 수밖에 없는 이런 상황들은 받아들이고. '우리가 어떻게 기록을 해주는 게 좋을까?'라는 질문을 하나 만들었지.

염쌤 : 어떻게?

낭쌤 : '어떤'과 '어떻게'를 다 포함하는 느낌? 옛날에는 엄청 많이 써줬지만 이제 글자 수 제한이 많으니까. '어떤 기록'을 '어떻게' 남겨야 하는가. 교사가 '일방적으로 적어주는 것이 좋은가?' 그런 생각도 좀 한번 해봤고. 내가 추구하는 좀 협력하는 사회, 그런 활동들을 하고 생기부에 기록되면 어떨까? 그런 생각을 해본 거지.

염쌤 : 여러 가지 생각을 했네요.

낭쌤 : 고민을 많이 했지. 국가 체제, 사회나 기업들의 요구가

대학에 반영되고, 대학은 또 그걸 고등학교에 요구한단 말야. 예전에 우리나라 사람들이 글도 잘 못 쓰고, 사회 나가서 말도 잘 못하는 인식이 있으니까 생긴 게 논술전형인 것처럼. 계속 그런 요소들이 학교로 밀고 들어오면서 생기부의 모습이 이렇게 된 것 같거든. 그들이 요구하는 것이 그런 거면 우리는 '어떻게 적어주면 좋을까?'라는 질문인 거지. 답은 없지만.

염쌤 : 굉장히 이상주의 같으면서도 현실주의 같은 말이네요. 현재 생기부 체제에 대해서 좀 부정적으로 진단하고 있는 거죠?

낭쌤 : 그렇지.

염쌤 : 부정적으로 생각하는 가장 큰 이유는?

낭쌤 : 생기부가 경쟁의 수단으로 쓰이니까. 체제를 받아들이긴 하지만 부정적이지. 지금 교과 세특을 모든 학생에게 다 쓰잖아. 예전에는 다 안 썼거든. 1~3등급 정도 아이들은 쓰고, 나머지는 안 써도 문제가 안 됐거든. 근데 모든 학생을 써야 하니까 오직 대학가는 목적으로만 다 똑같은 마음으로 쓰게 되는 거지.

염쌤 : 다 똑같은 마음으로 쓰면 문제 아냐? 상급학교 선발의 도구가 안 되잖아.

낭쌤 : 근데 솔직히 상급학교가 알아서 뽑고 인재를 길러야지. 이미 잘하는 애들을 데려가서 '잘 키웠습니다'라고 하면 뭐해. 물론 대학에 전부 맡겨버리면은 그건 또 문제가 발생하겠지. 본고사를 시행할 수도 있고, 사교육도 일어나고. 하여튼 어떻게 되든 문제는 되게 많을 것 같은데. 지금의 생기부를 적는 방식은 약간 의문스럽다.

염쌤 : 상급학교 선발을 목적으로 한 생기부 경쟁이 좀 과도화돼 있긴 하지. 그러다 보니까 본연의 의미보다는 퇴색된 의미로 많이 쓰이는 것 같다. 이렇게 진단하고 계신 것 같아요. 다른 분 생각은 어떻습니까?

낭쌤 : 생기부 때문에 담임의 업무가 가중되었지. 자율, 봉사, 진로 다 챙기는 게 쉬운 게 아냐. 그리고 애들도 생기부에 들어가는 활동에는 예민하게 반응해서 뭘하나 역할을 정할 때도 공평함을 유지하기 위해 엄청 노력해야 해. 가위바위보를 하든 사다리를 타든. 교사가 생기부에 쏟는 에너지가 너무 많아.

이쌤 : 공평하게 하기가 너무 어렵죠.

염쌤 : 그건 학생들이 학교 활동의 목적을 생기부에 기재하기 위해서라고 인식해서 생기는 문제야? 아니면 교육 활동을

충실히 하도록 유도하려고 교사가 생기부를 도구로 사용하고 있어서 생긴 부작용이야?

낭쌤 : 반반 같은데?

이쌤 : 둘 다인 거 같아요.

염쌤 : 그렇다면 이건 약간 영합한 결과다. 어떤 특정 주체의 문제라기보다는 서로의 욕심이 영합해서 나타난 결과가 아닐까? 그럼 바꾸기 쉽지 않지. 서로의 욕심이 녹아있으니까.

낭쌤 : 그게 아까 내가 얘기했던 거대 질서시. 애들한테 뭐 좀 하자고 하면 '생기부 적혀요?'라고 물어보는 데, 그게 들으면 되게 기분이 나쁘거든. 순수하게 할 수 있는 건데. 생기부에 안 적힌다고 하면 관심도 없고 안 해. 교내 대회가 극단적인 예시지. 대학 입시에서 반영을 안 하니까 대회 자체가 다 없어졌잖아.

염쌤 : 목적 전도 현상이 심하게 일어나고 있긴 해. 과거에 수시가 중요하지 않았던 시절에도 그 자체의 의미로 활성화됐던 활동들이 오히려 수시 체제를 겪고 생기부가 중요해진 다음 의미 없어진 게 많아요. 방금 얘기한 대회도 그렇

고. 봉사도 그렇고, 독서도 그렇고. 너무 도구화시켜 버리니까 도구의 쓰임이 없어지면서 그 자체가 죽어버린 느낌.

이쌤 : 그렇긴 해요. 지금은 어떤 활동이든 생기부에 안 들어가면 애들한테 동기 부여가 안 되는 것 같아요.

염쌤 : 웃기는 건 이 결과가 생기부로 인한 경쟁이 과도하니까 생기부에 기재하는 항목과 용량 자체를 줄이면서 발생한 일이라는 거지. 과도하게 경쟁하지 말고, 활동 그 자체를 즐기라는 의미에서 생기부에 기재 안 하도록 했더니 그 활동 자체가 아무 없어진 모순이지.

결국 현재 남아있는 유의미한 항목은 교과 세특과 행발이고, 많은 진로 선생님이나 학원가에서 그 두 항목에 집중하라고 강조하고 있지. 애초에 학교 교육 활동을 동일한 시각으로 바라보고 있지 않아. 입시를 위한 하나의 전략으로 대하고 있는 거지. 즉, 목적 전도가 아주 심하다고 생각합니다.

평쌤 : 저는 생기부의 목적에서 상급학교 진학 자료로 활용한다고 하셨잖아요. 근데 그러면 초등학교, 중학교의 생기부는 도대체 어디에 쓰이는지 약간 궁금했어요. 특목고 진학하는 아주 일부 학생들을 제외하면 '생기부가 도대체 어디에 쓰임이 있을까?'란 생각이 많이 들었거든요.

그리고 교과 세특이나 행발의 문제점은 부정적인 내용을 웬만하면 제외하고 쓰기 때문에 생기는 것 같아요. 낙인의 위험성이 있어서 그런 건 알고 있지만 그래서 솔직하지 않은 생기부가 많이 만들어지는 것 같아요. 반대 측면에서는 진학 자료로 활용되니까 사실보다 과장되고 왜곡된 내용이 들어갈 수 있는 위험성도 있고요.

이런 문제를 해결하기 위해서 생각해 본 대안은 출결과 성적 같은 객관적 자료를 필수적으로 들어가고, 그 외 다른 자율활동, 진로활동, 봉사활동은 굳이 안 들어가도 괜찮지 않을까 생각했어요. 특히 행발이나 교과 세특은 어떤 선생님을 만나느냐에 따라서 너무 천차만별로 달라지잖아요? 최소한의 객관성을 확보하기 위해서라도 아예 행발과 교과 세특도 체크리스트나 객관적 지표로 작성하면 좋을 것 같아요. 예를 들면 공동체 역량, 창의성, 자기 주도성 같은 항목을 설정하고, 점수를 주는 거죠. 근데 행발은 담임 선생님만 평가하면 객관성이 떨어지니까 공동 작업을 통해서 한 10명이 각각 평가를 하고 평균을 내는 거죠. 그런 생각을 한번 해봤습니다.

염쌤 : 정량적 지표를 쓰자는 얘기는 나쁘지 않다고 생각해요. 정량 지표를 만드는 과정은 좀 논쟁의 여지가 있겠지만. 학생의 인성을 꼭 담임만 평가할 수 있는 건 아니잖아요. 그래서 방금 얘기한 것처럼 행발에서도 교과 선생님이 느

끼는 부분이 반영되면 좋을 것 같네요. 학생 입장에서도 담임은 좀 잘 보여야 할 사람이기까 교과 선생님을 대하는 거랑 좀 다르거든요. 그런 면에서 다양한 교사의 평가를 반영하면 객관성도 확보하고, 담임 개인에게 주어지는 책임감도 좀 완화하고 그럴 수 있을 것 같아요.

이쌤 : 저도 좀 비슷한데 행발은 행동 특성이니까 담임뿐만이 아니라 다른 교과 선생님들도 다 작성할 수 있으면 좋겠다고 생각해요. 생기부라는 게 담임의 부담이 너무 크다는 생각이 들거든요. 담임은 생기부의 모든 영역을 써야 하잖아요. 그러니까 어떤 식으로 바뀌어야 할지는 모르겠지만 생기부의 일부 영역을 모든 선생님이 접근할 수 있게 하면 좋겠다는 생각이 들어요. 그리고 아까 부정적 내용에 의한 낙인 효과 말씀하셨는데 많은 사람이 생기부를 쓰게 되면 뭔가 좀 낙인이 덜 생기지 않을까요?

염쌤 : 생기부 기재 요령 부정적 내용을 쓰지 않도록 안내하고 있죠. 낙인 때문에?

이쌤 : 민원?

평쌤 : 나중에 찾아와서 뭐라고 할 수도 있어요.

염쌤 : 그러니까 그런 것이 다 부담이죠. 근데 단점을 못 쓴다면 생기부의 목적을 달성하지는 못하는 것 같은데?

이쌤 : 맞아.

염쌤 : 담임 입장에서 학생을 지도하려면 장점도 알아야 하지만, 단점도 알아야 해요. 그래서 어떤 특정한 문제 행동을 하는 학생이면 그 부분에 대해 케어가 들어가야죠.

그럼 다른 이야기로 넘어가 보죠. 민원이나 학생의 불만이 부담이라는 말을 잠깐 나눴는데 기본적으로 당해년도 내용은 당해년도에 공개하지 않아도 됩니다. 지침상 그래요. 공공기관의 정보 공개에 관한 법률에 따라서 작성하는 해에 학생, 학부모가 알면 공정하게 작성이 힘들어서 비공개가 원칙이래요.

낭쌤 : 모든 영역이?

염쌤 : 그죠. 당해년도 생기부 부분만. 생기부 기재요령에서 또 그런 얘기를 해요. 단순 사실을 과장해서 기재하지 말고, 사실과 다른 걸 허위로 기재하지 말고, 이런 내용들이 주의 사항에 있거든요. 그리고 만약에 학부모가 생기부 수정 요구를 하면 부정 청탁에 관한 법률에 걸린대요. 그러니까 지금까지 우리가 염려한 것들을 예방하기 위한 내용이 생

기부 기재요령에 이미 들어가 있어요. 그럼에도 학교 현장에서는 여전히 생기부를 점검한답시고, 학생들한테 모두 보여주고, 학생들은 수정하겠다고 선생님 찾아다니고 그러잖아요? 그래서 법적으로 충분히 보호하고 있음에도 실질적인 조치가 이루어지지 않는 이유를 좀 고민해야 할 것 같아요.

왜 이럴까요? 일단 학부모가 생기부 수정 요구를 강하게 하면 학교에서는 해주려는 태도를 보이는 것 같아요. '부정청탁에 관한 법률입니다.'라고 학부모 면전에서 얘기하는 학교는 없는 것 같아요. 실제로 정당한 요구였을 수도 있고, 사례는 다양하겠죠. 근데 기본적으로 학교가 그런 요구에 대해 단호히 거절하기가 힘든 게 '아이의 미래가 걸린 일'이기 때문이죠. 실제로 미래를 결정지을 만큼 중요하지는 않더라도 학생과 학부모들은 크게 느껴질 테니까. 혹시라도 원하는 대학에 떨어지면 생각날 테니까. 그런 거죠.

이쌤 : 맞아요. 문구 하나하나에 엄청 예민해요.

염쌤 : 엄밀히 얘기해서 생기부와 관련된 각종 제재는 교사에 대한 불신에서 왔다고 생각해요. 아무리 생기부를 잘 써주는 선생님도 모든 학생에게 잘 써주지는 않는데 너무나 쉽게 자신의 생기부가 부실한 이유를 교사로부터 찾죠.

평쌤 : 다 잘써주면 사실 의미가 없는데.

이쌤 : 근데 저는 행발은 좀 부정적으로 보긴 하는데, 교과 세특은 되게 잘 활용되고 있는 것 같거든요. 선생님들이 많이 과장해서 써요?

염쌤 : 아무도 모르죠. 정확하게 아는 사람은 없는데 좋은 사례만 많이 넘쳐나서 경쟁을 부추기죠. 좋은 생기부 사례 어쩌고 하면서 많이 연수하잖아요. 좋은 생기부 사례는 그 학생이 잘했기 때문인지, 그 학생을 평가하는 교사가 잘 쓴 건지, 모르겠는데 그냥 좋은 생기부 사례라고 해요. 뭔가 생기부에서 교사 변인을 크게 생각하는 거죠.

이쌤 : 그렇죠.

염쌤 : 근데 진심으로 묻고 싶어요. 어떻게 모든 학생의 생기부를 잘 써줘?

평쌤 : 저는 교과 세특을 다 쓰는 게 이해가 안 돼요. 수업하면서 세특을 써주고 싶은 애는 한정돼 있거든요. 근데 전혀 수업에 참여 안 하는 친구들도 써줘야 하니까 비효율적이고 솔직하지 않은 것 같습니다.

염쌤 : 참여하지 않는 학생은 참여 안 했다고 쓰면 솔직한 건데, 그러면 '그동안 선생님은 뭐했냐?' 그럴 것 같은데?

이쌤 : 전 그래서 '경청함' 쓰는데요.

평쌤 : 아, 세글자?

이쌤 : 아니, 아니요. '뭐에 대한 수업을 경청함.' 이런 거죠.

낭쌤 : 경청 안 했을 것 같은데?

이쌤 : 듣긴 들었겠죠. 조금은.

염쌤 : 교사한테 좀 딜레마를 주는 것 같아요. 마치 잘 써주는 선생님이 좋은 선생님 같다는 생각이 들면서 다 잘 써주려고 하니 공정하지 않은 것 같고. 또 너무 안 써주자니 '내가 좀 심한가?'라는 생각도 들고. 생산적이지는 않는데 굉장히 고민하게 되는? 심력을 낭비하는 느낌입니다. 그냥 영원히 생기부를 비공개로 하는 건 어때요?

낭쌤 : 그건 안 되지 않나?

염쌤 : 다른 사람이 나를 어떻게 평가하는지 꼭 알아야 해?

이쌤 : 맞아. 학생 성장에 그다지 좋지 않은 거 같아.

염쌤 : 그리고 학생에 대해서 썼다고 그 글의 주인이 학생이야? 엄밀히 따지면 그 글은 교사의 글이죠. 저작권이 교사한테 있어야 해요. 근데 현실은 학생이 저작권자야. 그래서 요구할 수 있는 거야. 난 이게 좀 바뀌었으면 좋겠어.

생기부 공개에 관한 법률도 있습니다. 거기 보면 학생 관련 자료 제공의 제한이라는 항목이 있는데 '학교의 장은 제25조에 따른 학교생활기록과 학교보건법 제7조의 3에 따른 건강 검사 기록을 해당 학생의 동의 없이 3자에게 제공하여서는 아니 된다. 다만 다음 각호의 어느 하나에 해당하는 경우에는 그러하지 아니하다'에서, 그 각호가 뭐냐 하면 감독, 감사를 받을 때, 그다음에 상급학교 학생 선발, 통계 작성 및 학술연구, 범죄수사 법원 재판, 그 밖의 관계 법률에 따라 제공하는 경우에요. 그러니까 기본적으로 학교생활기록부 자료는 3자한테 제공하는 게 아닙니다.

그럼 학생한테 항상 제공해야 하느냐? 뭐, 그런 내용은 없어요. 다만 나이스 정보 공개 시스템의 민원 업무에서 생기부를 볼 수 있죠. 그러니까 생기부를 보는 게 민원이에요. 묘하지 않습니까? 저는 개인적으로 교사가 학생에 대해서 정말 솔직하게 평가하고, 글을 썼으며 그 과정이 적법한 일이라면 그 글의 공개에 대한 동의는 글을 쓴 선생님께 받는 게 맞는 것 같습니다.

이쌤 : 오, 신박한데요?

염쌤 : '학생한테 제공하겠습니까?'라고 물어보면 '안 할 겁니다.'라고 할 수 있어야 하는 거 아니에요? 글을 쓴 사람이 아무런 저작권도 없고, 심지어 무단 배포 및 수정의 위험에 항시 노출된 거의 유일한 글이 아닌가 싶어요. 누가 내 사진을 찍었어. 그게 사진이 내 거야? 촬영 허락을 맡긴 해야겠지만 사진의 소유자는 찍은 사람이지.

평쌤 : 저도 이번에 면접 프로그램 진행하면서 좀 기이했던 게 애들이 자기 생기부를 보고 공부해서 면접 준비를 하더라고요. 그게 뭔가 모순적이다는 느낌이 들더라고요. 사실 제대로 활동하지 않은 내용이 들어가 있으니까 공부하는 거 아닙니까? 그래서 만약에 솔직하게 생기부가 적힌다면 굳이 당사자가 보지 않아도 된다고 생각해요.

염쌤 : 맞습니다. 생기부를 공부하는 건 기이한 일이죠.

낭쌤 : 근데 생기부에 활동하지 않은 게 올라가나?

염쌤 : 다른 건 몰라도 교과 세특은 몸만 교실에 있으면 실제로 아무것도 안 해도 적힐 수 있죠. 수행평가를 했으면 백지로 냈다고 해도 선생님은 뭔가를 쓰긴 해야 하니까.

낭쌤 : 내 생각은 그래도 아이들이 생기부 작성을 마감하기 전에 한 번 보는 게 좋다고 생각해. 그래서 자기 활동도 돌아보고, 검토하고, 대학의 입시에도 활용되는데 스스로 뭔가 느낄 수 있다고 봐. 자기 자신에 대한 평가지인데 한번은 스스로 검토해야 하지 않을까?

아이가 봤을 때 '저 이런 거 안 했는데 왜 적혀 있나요? 없애주세요.'라고 할 수도 있고. '저는 이런 활동을 했지만 넣고 싶지 않아요.'라고 할 수도 있지. 그런 요청은 괜찮은 것 같아.

염쌤 : 당해 연도에?

낭쌤 : 당해 연도는 아니더라도 졸업하기 전에? 행빌은 아니더라도 어떤 활동이나 사실에 기반해서 작성한 것은 '봐도 무방하지 않을까?'라고 생각하는 거지. 아이들과 상담하면서 '저는 이런 것까지 좀 더 느끼고, 추가로 이런 활동도 했습니다.'라고 하면, 수정하고 고쳐줄 수도 있다고 생각해.

생기부에 대해 나도 부정적이긴 하지만 아이들의 대학 진학을 최대한 도와주는 게 또 나의 소임이라고 생각하거든.

염쌤 : 아니 그렇게 잘해주다 보니까 이런 상황이 된 거잖아요.

낭쌤 : 근데 진짜 상담하다 보면 그렇게 돼.

이쌤 : 맞아. 선의가 작동하지.

낭쌤 : 마음이 그런 거지. 이건 아니다 싶은데도 또 수시로 대학 가고 그런 거 보면, 좀 더 해보자.

염쌤 : 교사가 가지고 있는 기본적인 책임감, 소임에 충실한 거는 좋지. 근데 이렇게 생기부가 갈등 요소가 된다니까. 우리 반 학생들에게 한없이 잘 써줄 수 있지. 근데 그게 맞냐는 거지. 진짜 아무것도 안 한 애가 찾아와도 수정해줘?

이쌤 : 안 했으면 안 오지 않나요?

염쌤 : 만약에 오면, 가라고 해?

낭쌤 : 아무것도 안한 애는 안 와.

염쌤 : 아니, 온다면?

낭쌤 : 온다면? 실제 한 내용을 넣어달라면 가능하지만. 아무것도 안 한 친구가 가상의 무언가를 넣어달라는 건 아닌 거 같아. 그것까지는 아니야. 그냥 이런 활동을 했는데 '선생님, 저 이 부분을 조금 더 강조해 주세요.' 그 정도의 요청에 대해 같이 생각하는 거지.

염쌤 : 이렇게 학생들을 잘 타이르고 갈등 없는 교사는 무난하게 넘어갈 수 있는데, 그런 부분이 좀 부족한 교사는 곤란해질 수 있거든. '누구는 수정해 줬는데 누구는 수정 안 해 줬다.'라는 식으로 논란에 휘말리는 거지.

낭쌤 : 앞뒤 다 자르고 얘기하지.

염쌤 : 그러니까 수정해 주는 것 자체가 나는 그럴 여지를 준다고 생각해. 그리고 학생이 찾아와서 수정해달라고 하는 걸 싫어하는 사람들이 많은 이유가 엄밀히 교과 세특도 평가의 일환인데 평가의 결정권이 없어지는 느낌을 주니까.

제가 볼 때 선생님들은 두 가지 중 하나를 선택하는 것 같아. 그냥 학생의 요구를 최대한 맞춰주는 사람과 절대로 수정 안 해주는 사람. 그 중간적 입장을 취하는 순간 발생하는 불평불만이 너무 힘드니까. 그러지 않나?

평쌤 : 맞아요. 맞아. 저도 같은 수업 하시는 선생님이랑 완전히 달라요. 저는 다 고쳐주는데 그 선생님은 아예 안 받아주거든요. 이쌤은 고쳐주셨어요?

이쌤 : 저요? 저한테는 안 왔어요.

평쌤 : 아, 안 왔어요? 잘 써 주셨구나.

염쌤 : 이쌤은 잘 써줘서 애들이 안 찾아가는구먼. 나는 안 고쳐줄 걸 알아서 안 찾아와.

이쌤 : 근데 약간 애들한테 검토받을 필요성을 느낀 게 엑셀에 작성한 내용을 붙여넣기 할 때 발생한 오류를 애들이 잘 발견하더라고요.

낭쌤 : 생기부가 되게 부익부 빈익빈인 게 잘하는 애들은 넘쳐나서 줄이려고 노력하고, 없는 애들은 너무 없어서 어떤 걸 만들어 줘야 하나 고민하게 돼.

염쌤 : 글자 수 제한 있어야겠죠?

낭쌤 : 없었을 때는 격차가 더 심했어.

염쌤 : 없으면 무한 경쟁이 되니까.

낭쌤 : 그게 경쟁이 되지. 한 줄 썼냐, 두 줄 썼냐. 그래도 아이 입장에서는 자기와 관련된 거니까 좀 확인해야지.

평쌤 : 저는 학교 다닐 때 생기부를 안 봤던 것 같은데요.

염쌤 : 저도 본 적이 없어.

학교생활기록부 : 금지 목록

염쌤 : 그러면 저건 어떻게 생각해요? 생기부 기재 금지 목록이 되게 많잖아요. 자격증 상황, 수상 실적, 대회까지. 지금 적절한 것 같아요? 생기부 기재를 못 하는 이유를 한번 읽어드릴게요. '다음은 사교육 유발 요인이 큰 사항으로 행동 특성 및 종합의견란을 포함하여 학교생활기록부의 어떠한 항목에도 기재할 수 없다. 각종 공인 어학 시험 참여 사실과 그 성적 및 수상 실적, 교과 비교과 관련 교회 대회 참여 사실과 그 성적 및 수상 실적, 교회 기관 단체 등에게 수상한 교외상, 표창장, 감사장, 공로상. 교내외 인증시험 참여 사실이나 그 성적, 모의고사, 전국연합 학력평가 성적 및 관련 교내 수상 실적. 논문을 학회지 등에 투고 또는 등재하거나 학회 등에서 발표한 사실, 도서 출간 사실, 지식재산권 출원 또는 등록 사실, 어학연수 봉사활동 등 해외 활동 실적 및 관련 내용, 부모의 사회 경제적 지위 암시 내용. 장학생 장학금 관련 내용, 구체적인 특정 대학명, 기관명, 상호명, 강사명 등.' 그리고 교내 대회의 참여 사실과 그 성적 및 수상 실적은 수상 경력에만 넣고 특기사항에 넣지 말고, 자격증 명칭 및 취득 사실도 자격증 항목에만 넣으라는 거예요. 엄청나게 많죠. 근데 쭉 보면 다 잘한 일들이에요. 사회에서 장려하는.

이쌤 : 그러네요. 좋은 일이긴 하네요.

염쌤: 근본적인 이유는 딱 하나죠. 사교육 유발 요인이라서. 근데 이런 것을 무조건 안 쓰면 사교육이 유발되지 않는 것인가? 의문이 있죠. 한편으로는 '사람들이 저것 때문에 사교육을 하는 거였나?' 이런 생각도 들어요.

이쌤 : 저는 약간 불만이 있는 게 저희 반에 수영 국가대표 선수가 있었거든요. 걔가 되게 성실해요. 해외에서 훈련받고 해외 대회 나가서 상 받아오는 경우가 많았는데 해외에 나가는 동안 인정 결석을 많이 했단 말이에요. 그래도 학교에 오는 동안은 누구보다도 수업을 열심히 들었어요. 선생님들도 다 얘를 칭찬해요. 근데 대학교 수시 전형을 한 개도 쓸 수 없는 거예요. 왜냐면은 수영 관련해서 수상 경력이 엄청 많은데 아무것도 쓸 수가 없잖아요. 진짜 학교에 나오든 해외 훈련을 가든 열심히 한 친군데 아무래도 성적은 그렇게 좋지 않아서 수시를 넣을 수가 없었어요. 결국 정시로 가긴 했지만. 학교생활도 성실히 했는데, 아예 대회라는 단어도 못 넣고. 수영 국가대표 선수인 것도 못 넣으니까, 수시를 쓸 수 없었어요. 담임으로서 좀 뭔가 보완해 주고 싶었는데, 아무것도 못 해서 허탈했던 기억이 있어요.

평쌤 : 음. 좀 그렇긴 하네요.

염쌤 : 그러니까 빈대 잡으려다 초가삼간 태우는 느낌이 듭니

다. 공교육에서 가정의 경제적, 문화적 요인을 제거하고 싶은 마음은 알겠지만, 솔직히 모두 통제하는 건 불가능하잖아요. 그냥 잘하는 건 잘하는 대로 인정하고, 기회가 적었던 학생들에게 기회를 제공하는 형식으로 교육을 진행하는 게 더 낫지 않나 생각하는데, 입시 체제와 맞물리니까 무조건 배제하는 쪽으로 논리가 펼쳐지는 것 같아요. 그런 접근 방식은 결국 어떤 교육을 장려하지는 못하고, 억제만 하게 되잖아요. 다 의미가 없어지는 거죠.

이쌤 : 아무것도 안 하게 되죠.

염쌤 : 꿈을 좇으라고 말은 하는데

이쌤 : 학교에 반영은 안 하고.

평쌤 : 약간 하향 평준화된?

염쌤 : 그 느낌이 되게 강해요. 그래서 현재는 좀 과하지 않나?

낭쌤 : 저렇게까지 된 건 저걸 악용하는 사람들이 있거든. 단순히 조기 교육을 받아서 출발선의 차이가 발생한 정도가 아니라 노력도 없이 악용하는 사례가 예전에 있었거든. 그런 걸 차단하려다 보니까. 원래 이렇게까지 심하지 않았어. 하

나하나 추가되다 보니까 넘쳐나게 된거지.

금지 항목을 보면 답답하기는 해. 그렇다고 또 쫙 풀어버리면 문제가 생길 거야. 그래서 어떻게 말하기가 어려워. 어딘가는 금지 항목에 대해 신경쓰지 말라고 하는 데도 있더라고. 입학 사정관도 금지 단어가 블라인드 처리돼서 안 보인다고 하는데 어떻게 알아?

이쌤 : 맞아.

낭쌤 : 그러니까 어떤 학교는 그냥 쓴다는 거야.

염쌤 : 입사관 얘기로는 시스템상 블라인드 돼서 온다더라.

이쌤 : 금지 단어가 들어 있으면?

염쌤 : 블랭크 돼서 온다는데?

낭쌤 : '블록 처리가 되서 이렇게 넘어옵니다.'라고 보여주더라고. 그래도 저 사람들이 알려고 하면 알 것 같기도 하고.

염쌤 : 역으로 블랭크가 많은 학생이 잘했다고 생각하는 거 아냐? 블랭크가 많네. 잘했네.

이쌤 : (웃음) 대회가 많군.

염쌤 : 그게 정확히 뭔지 알 필요가 있나? '열심히 하는 애구나.'라고 생각하면 되는 거잖아. 그러니까 가린다고 만능은 아닌 거지.

이쌤 : 아, 그러네요?

낭쌤 : 이쌤이 얘기한 아이 같은 경우는 시스템의 피해자인 거지. 악용하는 사람들로 인한 피해자가 발생하고, 억울한 사례도 생기고. 그렇다고 금지 항목을 풀면 다시 악용하고.

염쌤 : 모순적인 거지. 선발한대. 성적을 보겠대. 근데 그걸 말로 하지 말라는 거야. 눈 가리고 아웅이지. 내가 이걸 초가삼간 태웠다고 표현하는 이유가 금지 항목으로 잡은 애들이 도대체 누구야? 걔들은 어디로 갔는데? 과연 걔들이 금지 항목이 없어서 대학을 못 갔을까?

낭쌤 : 지금도 일반고 내신이랑 교과 세특을 대학교에서 얼마나 믿겠어?

이쌤 : 맞아.

염쌤 : 나는 뭔가 금지할 때는 아주 부정적인 효과가 있을 때만 금지해야 한다고 생각해요. 마약이라든지 폭력이라든지. '너 혼자 잘 살려고 열심히 꿈을 좇는 건 안 돼.' 이게, 이게 뭐야. 사교육이든 뭐든 열심히 해서 잘했으면 잘한 거 아닌가? 예체능 분야는 다 그렇잖아. 왜 공부만 유독 잣대가 날카로운지 모르겠네. 수많은 제2외국어 어디 가서 배워? 사교육 안 하면? 혼자 열심히 독학해서 스페인어 자격증 같은 거 땄어. 그럼 '사교육 받은 나쁜 학생, 돈 많은 나쁜 사람' 되는 게 맞는 거야? 그냥 그런 부분은 오픈하고 오히려 학교에서 지원하는 형식으로 가는 게 낫지. 음지에서 안 진행되게. 그들만의 리그가 되지 않도록.

외부 대회도 교육부, 교육청 행사만 기재 가능한 게 웃겨. 세상에 교육청 주관 행사만 의미가 있는 행사인가? 다른 행사는 나쁜 행사야? 사기업이 지원하면 안 되나? 왜 요즘 같은 시대에 폐쇄적이고 갇힌 기준을 계속 강화하는지 모르겠다. 그런 것들이 사교육을 유발했다는 증거도 딱히 없는데. 그리고 사회적 물의를 일으키는 사교육이 얼마나 된다고? 사교육도 교육이지. 공교육 정상화, 사교육 근절. 이런 정치적 문구는 좀 탈피했으면 해. 교육은 정치로부터 중립적 가치를 유지해야 한다고 참정권도 제한하면서 온통 정치적 논리야. 마음에 안 들어.

이쌤 : 애들의 학습 동기도 많이 떨어지는 것 같아요.

염쌤 : 맞아.

이쌤 : 어차피 기록이 안 되니까.

염쌤 : 그리고 학교에서 수시를 강조하고, 생기부를 강조할수록 그것이 잘되지 않았을 때 학교에 다닐 이유도 없어져. 1학년 때 생기부가 실패하면 3년 동안 학교에 다닐 이유가 없어지는 거지. 최근 1학년 자퇴생이 많아지는 것도 다 그런 이유잖아.

낭쌤 : 그래서 어떤 지역의 고1 자퇴율이 높다고 그러더라. 1학년 때 이미 망했다고 생각하면 자퇴해서 검정고시 보고, 아니면 재입학하고.

이쌤 : 어후, 재입학?

낭쌤 : 1년을 꿇더라도 그게 유리하다고 보는 거지. 내신 석차 등급 산출되는 과목이 1학년에 제일 많거든. 그러니까 1학년 때 성적이 되게 중요한데 망쳐버렸으면 대학은 끝인 거니까. 그리고 1학년을 한번 해봤으니까 적응하기도 쉽잖아. 그래서 재입학을 하는 거지. 그런 경우도 많대.

염쌤 : 뭔가 성질나지만 여기까지 하겠습니다.

생기부는 어떻게 변화해야 할까?

염쌤 : 그럼 현재 상황에 대한 비난은 많이 했으니까, 앞으로 변화 방향을 한번 얘기해 보죠. 미래에는 어떻게 하는 게 좋을까?

낭쌤 : 어떻게? 어떤 기록? 아니면 어떻게 기록?

염쌤 : 둘 다 포함하는 거죠. 어떤 항목을, 어떤 방식으로, 어떤 방향으로까지. 준비된 사람부터 얘기할까요? 준비된 사람? 나부터 할까요?

이쌤 : 네.

염쌤 : 저는 생기부 기록에 있어 가장 큰 문제는 학생의 미래를 교사가 결정하는 구조와 거기에 따른 부담과 책무감, 그리고 그 속에 포함된 여러 기대감에 의해 생기는 부작용인 것 같아요. 그래서 간단하게 생기부는 학생들이 썼으면 좋겠습니다. 아까 했던 금지 항목 다 살리고, 그냥 자기가 자기 포트폴리오 만드는 거죠. 나이스 시스템에 학생이 회원가입해서 자기가 그냥 기록하는 거예요. 자기의 성장 변화마저도 자기가 기록하는 거예요. 그날 학습한 내용으로 교과 세특까지 스스로 쓰는 거죠. 그리고 교사는..

이쌤 : 검증?

염쌤 : 응. 요청이 들어오면 승인만 해주는 거죠. 아니면 퇴고해준다거나. '넌 네 생각보다 더 잘했어.' 이런 식으로?

그러면 교사가 기록하는 부담도 없어지고, 기록의 정확성도 높아지고, 학생 스스로 책무감도 가질 수 있고, 스스로 검토도 할 수 있고. 자기를 자기가 증명하는 현대사회에 맞는 것 같아요.

근데 만약 신뢰성이 떨어진다고 얘기한다면 학생을 못 믿는다는 얘기잖아요? 교사가 검증하는 시스템이 있어도. 그래도 정 못 믿겠다고 주장한다면 생기부를 없애야죠. 저는 생기부에 교사와 학생 간 상호작용의 결과만 남아있으면 된다고 생각해요. 나중에 나이가 들어서 다시 볼 때도 '내가 이렇게 했었는데, 선생님이 이렇게 써줬지.' 그런 모습이 좋아요. 그것이야말로 성장 과정에 대한 기록이 아닐까?

이쌤 : 너무 좋아요.

평쌤 : 너무 좋은데요.

이쌤 : 저는 글자 수 제한이 없어져야 한다고 생각하고요. 그 이유는 모든 영역을 모든 선생님이 접근할 수 있어야 한다고 생각하기 때문이에요. 글자 수 제한이 있으면 또 한계

가 생기니까. 그게 안 되니까. 그래서 모든 선생님이 그 학생에 대해 쓸 수 있게 하면 좋겠어요. 그래야 학생의 부정적인 측면과 긍정적인 측면을 통합적으로 볼 수 있을 것 같아요. 대학교에서도 나쁠 거 없지 않을까요?

염쌤 : 다 쓸 수 있는 대신 표현 방법이나 금지항목은 줄고?

이쌤 : 예, 그랬으면 좋겠습니다.

염쌤 : 제한은 줄고 범위는 넓히고. 선생님들이 조금 싫어할 것 같긴 하네요.

이쌤 : 일이 많아지죠.

염쌤 : 근데 쓰고 싶은 애만 쓰면 되잖아요.

이쌤 : 그렇죠

염쌤 : 많은 선생님이 쓰고 싶어 했던 학생이라면?

이쌤 : 생기부의 양이 많겠죠.

염쌤 : 정말 신뢰로운 자료가 생길 수 있겠네요. 언제 말해요?

낭쌤 : 아직 정리가 안 되네.

염쌤 : 빨리 정리하세요.

평쌤 : 저도 말하겠습니다. 저도 비슷한 의견인데 생기부의 객관성을 높이고, 선생님의 부담과 책임감을 줄이기 위해서 공동 작업을 하면 좋을 것 같습니다. 대신 표현의 자유를 주고 제한된 부분도 풀어서 신뢰도 높은 생기부를 만들어야 하지 않을까 생각했습니다.

염쌤 : 비슷한 게 아니라 똑같은데? 근데 교과 세특도 포함이야, 행발만 얘기하는 거야?

평쌤 : 행발만 말하는 거에요.

이쌤 : 저는 행발+창체 자율, 진로 모두 포함입니다. 좀 달라요.

평쌤 : 다르네요.

낭쌤 : 왠지 나는 부작용이 클 것 같은데?

염쌤 : 부작용은 있겠지.

낭쌤 : 선생님 사이에서도 다른 사람이 쓴 거 보고 '많이 적혀 있네? 나는 뭐 안 해도 되겠네.' 그럴 수 있고.

염쌤 : 선생님끼리 서로 볼 수 있는 거야?

이쌤 : 비공개.

평쌤 : 비공개 시스템.

낭쌤 : 그러면 가능은 하겠지만 악용할 수도 있어. 그냥 맡은 사람이 쓰고, 정리하는 것도 괜찮을 것 같아. 나는 담임 하면 바탕 화면에다가 엑셀 파일을 만들어 놔. 그리고 교실 가서 애들이랑 장난치고 놀면서 관찰하다가 뭔가 일이 있으면 그때그때 엑셀 파일에다가 적어 놔. 그리고 학년말에 그걸 종합해서 행발을 써주거든. 주로 간단한 내용들이야. 예를 들면 게시판에 누가 이면지를 뒤집어 놨더라고. '이건 뭐냐?' 그랬더니, '선생님 이거 기간 지나서 제가 이면지로 쓰라고 여기다 모아놨어요.'라고 그래. 그러면 그거 써주고. 친구가 결석해서 자기 구역 아닌 데 청소하면 써주고.

이쌤 : 맞아. 맞아. 맞아. 이런 거.

낭쌤 : 그런 걸 그때그때 까먹지 않게 적어 놔. 그게 좋더라고. 그러면 내가 걔에 대해서 정확하게 좀 써줄 수 있고. 걔랑

또 에피소드도 생기고. 그런 것들을 관찰하면서 행발을 적는 것도 괜찮은 일이더라고. 다만 지금 우리 학교는 학급당 인원수가 너무 많아서 좀 힘들긴 하지.

아까 얘기 나왔던 '학생 스스로 만들어 가는 생기부'도 생각 해봤어. 본인들이 만들어 가는 게 맞는 것 같아. 진로활동을 했어도 아이들이 실제로 거기에서 뭘 느꼈는지 우리가 알지 못하잖아. 학생이 스스로 그런 걸 써서 만들어 가면 좋을 것 같아. 그러면서 자기네가 풍부하게 만들어 나가겠지.

염쌤 : 지금 고교학점제도 그렇고 시스템 자체가 대학교처럼 가잖아요. 이 상태에서 담임한테 계속 의존하는 것 자체가 위험해요. 담임은 역할이 점점 줄어야 하는 상황인데 오히려 생기부가 담임에게 의존하고 있으면 안 되잖아요.

이쌤 : 맞습니다. 그럼 오늘은 여기까지?

염쌤 : 여기까지!!

대학 입시 제도

염쌤 : 일단 대학교 입시의 기본적 뼈대는 교육부가 만들고 있죠. 그리고 그 뼈대를 지키는 범위에서 대학이 입학 전형을 발표하고, 교육청에서 대학교 입학 전형을 분석해서 고등학교에 연수를 하고, 고등학교는 학생들에게 교육하고 그런 구조인 것 같아요. 그럼 고등학교는 입시 위주의 교육을 하고 있나요? 입시 위주의 교육이 뭘까요?

이쌤 : 1, 2학년 때는 그렇지 않은데 고3이 되면 내가 하고 싶지 않아도 수능 특강을 애들한테 풀어주잖아요. 애들이 수능을 봐야 되니까. 그래서 수능 특강을 안 하고 교과서나 다른 활동을 하고 싶어도 애들이 원하지 않으니까 수능 특강을 풀어줄 수밖에 없는 상황을 입시 위주의 교육이라고 생각을 했어요.

염쌤 : 3학년 수업 들어가나요?

평쌤 : 저는 진로 탐구 수업인데요. 학생들이 수업을 최대한 짧게 하고 수능이나 다른 과목 내신 준비를 많이 요구해요. 이런 것도 입시 위주의 교육 때문에 나타나는 상황이 아닌가라는 생각이 들었습니다.

염쌤 : 그것도 입시 위주 교육의 한 모습이네요. 입시를 배려해서 내 수업 시간의 일부를 할애하는. 저는 수능 특강을 풀어주진 않아요. 근데 저희 같은 경우는 보통 수능에서 지구 과학Ⅰ을 응시하는데 3학년에는 지구과학Ⅱ가 배치되어 있거든요. 예전에는 고3 지구과학Ⅱ 시간에 지구과학Ⅰ 수업을 해주시는 분들도 좀 있었는데 저는 좀 아닌 것 같아서 그냥 지구과학Ⅱ 수업을 해요. 근데 그러면 아이들이 수시에 필요한 1학기까지는 열심히 하는데 2학기가 되면 수업을 잘 안 듣죠.

낭쌤 : 나는 입시 위주 교육이 고등학교 1학년 때부터 쭉 이어진다고 보고 있거든. 예전에 대학교에서 전공 이외에 교양 수업도 다 필수로 들었잖아. 어떤 목적이 있어서가 아니라 순수하게 학문을 공부하고 연구하기 위해서 들어야 한다고 했었는데, 지금 대학도 그런 위상은 아닌 것 같아. 지금 수험생의 한 70~80%가 거의 대학 진학을 하는데 그 모두가 다 대학에 갈 필요가 있을까라는 생각도 들고.

염쌤 : 어떤 의미죠?

낭쌤 : 고등학교 1학년 때부터 입시를 의식하니까 지나치게 경쟁하고, 시험 때마다 등급을 의식하고, 생기부에 기록되는 활동이 아니면 관심을 끄는 현상이 나타난다는 거지.

염쌤 : 그래서 좀 부정적으로 보고 있다?

낭쌤 : 그렇지. 너무 입시에만 몰두하는 경향이 나타나니까. 고3 1학기까지 5학기가 수시에 반영되는 데, 그 중에 한 학기만 망치면 아이들이 좌절하잖아. 그런 모습들이 바람직하지는 않은 것 같아. 모두가 대학에 갈 필요가 없는 데 그것 때문에 나타나는 부작용이 좀 보기 좋지 않은 거지. 요즘 들어서는 대학을 안 가도 된다는 아이들이 늘어나고 있는 것 같긴 하지만.

이쌤 : 대학을 진짜 안 가도 되는 아이들은 자기 계획이 있어야 되잖아요. 그냥 포기하듯이 안 가는 건 좀 아닌 것 같아요.

낭쌤 : 그렇긴 하지. 그래서 대학에 대한 전체적인 인식 변화는 상당히 어려울 것 같아. 좀 괜찮은 직장에 가려면 대학 타이틀이 여전히 중요하기도 하고. 직업의 귀천이 없고, 대학을 가지 않더라도 노년까지 살 수 있는 보장이 잘 되어 있으면 대학에 이렇게까지 연연하지는 않겠지. 근데 우리 사회 시스템이 그렇진 않잖아. 직업도 다 따지고, 노년도 잘 보장되어 있지 않지. 여전히 그런 모습인데 대학 가서 비싼 등록금 내고, 군대니 어학연수니 20대 거의 절반 이상을 쏟아 붓고 나서 전공과 관련 없는 일을 하는 사람도 많으니까 대학이 꼭 필요하지는 않다는 거지.

평쌤 : 맞아요, 맞는 말씀이에요

낭쌤: 근데 한편으로는 내가 대학생활을 한번 해보고 나니까 대학 생활을 경험해 보는 것도 좋긴 하거든. 젊은 시절에 같은 학문을 연구는 친구들이 모여서 같은 뜻을 가지고 지내는 경험이 나쁘지는 않았거든.

그래서 대학이 아니더라도 젊은이들이 모여서 뭔가 자기 진로를 고민하고 사회생활을 준비하는 과정이 있으면 좋지 않을까? 아니면 고등학교에서라도 좀 할 수 있지 않을까? 그런 생각을 해봤어.

아무튼 사회적인 인식 변화가 있기 전에는 입시 제도가 쉽게 바뀌지 않을 것 같고, 입시 위주의 교육을 할 수 밖에 없을 것 같아.

염쌤 : 일단 현재는 입시에 매몰된 교육을 하고 있다고 보는 거네요. 대학의 필요성은 좀 다른 차원의 문제인 것 같고.

근데 사실 옛날에도 입시는 중요했고, 고등학교는 대학을 잘 보내기 위해 노력했잖아요? 근데 그것 때문에 공교육이 위태롭다거나 입시에 매몰됐다는 비판은 별로 없었던 것 같거든요? 왜 그럴까요?

난 그 이유를 입시의 주체가 바뀌었기 때문이라고 생각해요. 학생에게 교육을 하고, 학생은 공부하고, 대학은 선발하는 일련의 행위는 자연스러운 과정이잖아요.

공산주의가 아닌 이상 개인의 성공을 위해 노력하는 것을 비난할 수는 없는 거고, 경쟁을 통해서 발전하는 측면도 있죠. 근데 요즘 문제가 되는 이유는 입시 결과를 결정하는 주요 변수가 '학생의 공부'라는 내적 변수에서 '부모의 재력', '학군', '사교육' 등 외적 변수로 옮겨갔다는 인식이 있어서 그런 것 같아요.

낭쌤이 '대학을 꼭 갈 필요가 있을까?'라고 했는데 반대로 그럼 누가 대학을 가야 하는가를 어떻게 결정해요? 자기 스스로 증명할 수밖에 없잖아요. 입시의 주체는 수험생이죠. 그래야 해요. 옛날 드라마에서 혼자 공부해서 입신양명하는 학생들의 모습이 불가능하지 않았죠. 근데 언젠가부터 그렇게 개천에서 용 나는 건 불가능하다고 말하는 세상이 됐어요. 그게 진짜 사실인지 아닌지 모르겠지만 그런 말들이 범람해서 더욱 그런 경향을 몰아가고 있죠.

즉, 입시의 주체가 학생의 노력에서 다른 변수로 옮겨 간 거죠. 지역 균형 전형을 쓸 수 있느냐, 학교장 추천을 받을 수 있느냐, 생기부를 선생님이 얼마나 써줬느냐 이런 것에 집중하는 것은 학생의 실제적 능력과는 무관한 변수잖아요. 그러면서 학교가 그런 부분에 휘둘리게 된 것 같아요.

좋은 대학에 가고 싶으면 열심히 공부해야죠. 근데 그 공부마저도 사교육을 과대 포장하며 마치 공교육만으로는 불가능하다고 말하죠. 강남의 학원을 못 다녔기 때문에 수능 킬러 문항을 못 푼다는 것이 맞아요? 너무 가벼운 진단이 아닐까요? 사교육 카르텔 조사하면서 현직 교사들이 그 유명한 학원의 모의고사 문제를 출제한 것이 밝혀졌는데 그 말은 사실 공교육에 있는 교사들의 실력이 월등하다는 의미이기도 하잖아요? 근데 평소에는 학교 선생님들의 실력을 믿지 못하고 학원에 의지하고 있었으니 아이러니하죠.

낭쌤 : 입시에 요즘처럼 매몰된 적이 없었다는 건 정확하게 어떤 현상을 얘기해야 하는 건가?

염쌤 : 그러니까 이런 거죠. 정시만 중요했던 시절에는 수능만 잘 보면 되니까 요즘처럼 정시 준비하는 애들은 학교 수업을 안 들었을까요? 수상 실적이 필요 없으니 교외 대회에 안 나갔을까요? 아니잖아요. 훨씬 더 활성화됐었거든. 동아리도 그렇고. 근데 오히려 그것들이 수시라는 대학 입시에 반영되면서 변색된 거죠. 그냥 하던 활동들에 가치가 부여되고, 목적이 결부되면서 색깔이 바뀐거에요.

'돈으로 살 수 없는 것들(마이클 센델)'에 나온 가치 변환이죠. 원래는 그 자체로 가치를 가졌던 교육활동들이 입시와 결부되면서 가치가 바뀐 거죠. 무조건 진로와 관련된 동아리만 들어가고, 진로와 관련된 책들로 독서활동을 채우고, 그런 거죠. 그 상황이 너무 심해져서 반작용으로 입시에 반영되는 생기부 항목을 줄이고 있지만, 없어진 가치는 아직 돌아오지 못한 것 같아요.

평쌤: 2023년 청소년 통계(여성가족부)에 따르면 평상시 스트레스를 많이 느낀다고 응답한 고등학생의 비율이 40%나 된다고 합니다. 초등학교와 중학교보다 높은 비율로 나타났어요. 평균 수면 시간도 고등학생이 5.9시간으로 나타나서 초등학생과 중학생보다 낮게 나왔어요. 어찌 보면 당연하게 느껴지기도 하지만 입시가 없었다면 이런 결과가 나오지 않았을 것 같습니다. 고등학생들이 잠을 덜 자고 스트레스를 받을 수밖에 없는 거죠.

제가 생각하는 입시 위주 교육의 가장 큰 원인은 학벌주의라고 생각합니다. 학벌주의는 우리나라의 높은 교육열과 관련이 있죠. 일제 강점기 때 억압받았던 교육열이 광복 이후에 자연스럽게 터지면서 강화된 것도 있죠. 실제 광복 직후에 서울대를 중심으로 대학교가 많이 생겼어요. 예전에는 소 팔아서 대학 간다는 말이 있을 정도로 부모님들의 교육열이 높았잖아요. 자신은 대학을 못나왔어도 자식은 나와야 한다는 생각이 강했죠. 그런 학생과 학부모의 노력이 현재의 학벌주의를 만들었다고 생각합니다. 긍정적인 측면이 없지는 않지만 학벌이 사회에 너무 강력하게 작용하면서 문제가 심해진 것 같아요.

어떤 칼럼에서 '입시는 누군가에게 출세의 기회지만 누군가에게는 세습의 과정이다.'라는 내용을 봤어요. 명문대가 세습의 도구가 되는 거죠. 하지만 명문대의 숫자는 너무 적으니까 많은 학생들이 패배감을 맛볼 수밖에 없죠.

이쌤 : 학벌주의로 인한 명문대 쏠림 현상이 입시 제도를 강화한다는 말이죠?

평쌤 : 그렇죠. 욕심은 큰데 갈 수 있는 대학은 적죠. 어떤 교수님은 그냥 서울대학교를 10개로 늘리자는 주장을 하더라고요. 각 지역에 서울대를 총 10개 만들어서 대학의 질을 높이자는 주장이었어요. 좋은 방안이라고 생각합니다.

학령인구가 줄고 있고, 예전에 비해서는 학벌주의가 많이 줄어들었다고 생각하거든요. 이제는 예전만큼 대학이 중요한 사회는 아닌 것 같긴 해요. 그래서 더 많은 명문대를 조성해서 학벌주의를 해소하자라는 주장이 현실성이 없는 얘기는 아니라고 생각을 합니다.

염쌤 : 근데 학벌주의가 대학의 질 때문에 생긴 건가요? 엄밀히 얘기해서 그 대학이 교육을 잘하느냐 못하느냐에 별로 관심 없잖아요. 그냥 대학이 얼마나 유명한가, 인서울인지 아닌지만 중요하게 생각하는 것 같은데? 명문대는 교육을 잘하는 대학이 아니라 그냥 공부를 잘하는 학생들이 지원하는 대학에 가깝지 않나? 물론 그러니까 성과가 좋지만.

평쌤 : 제가 기사에서 본 명문대 기준은 대학의 자금력이었어요. 스카이는 자금이 1조가 넘는데 지방 사립대학은 5천억 정도의 수준이라고.

염쌤 : 대학 서열화를 없애자는 차원에서 모두 다 똑같은 이름의 국립대로 바꾸자는 의견은 옛날부터 있었죠. 다만 관련된 사람들이 대부분 반대하는 것 같기는 하지만.

근데 그렇게 똑같아지는 것만이 답이라면 우리는 영원히 답에 도달하지 못할 것 같아요. 서울대를 10개 만들어도 1캠퍼스, 2캠퍼스, 또는 서울캠퍼스, 부산캠퍼스 이런 식으로 나누려고 할 테고, 이름이 똑같아도 사람들은 그 캠퍼스들을 다르게 대할 것 같은데요? 지금도 같은 대학이지만 지방 캠퍼스를 똑같이 대하지 않잖아요. 그러니까 그런 표면적인 이름은 별로 중요한 변수가 아닌 것 같아요.

이쌤 : 그 조사에서 고등학생들이 스트레스를 되게 많이 받는다고 했는데, 제가 관찰한 바로는 수험생들이 공부에 그렇게 스트레스를 많이 받지 않는 것 같거든요. 어때요?

평쌤 : 사실 스트레스를 받는 학생들만 많이 받죠.

이쌤 : 언론에서 너무 학생들이 수능 때문에 힘들다는 걸 강조해서 실제로 그렇지 않은 학생들까지 동조해서 그런 생각을 하는 것 같기도 해요. 제가 고등학교 때도 공부 때문에 막 미친 듯이 스트레스를 받거나 우울해하는 친구들이 거의 없었거든요. 오히려 입시 제도는 점점 학생들 위주로 공정한 방향으로 가고 있다고 느껴요.

염쌤 : 오, 설문조사나 언론이 좀 과장되었다는 말이네요.

이쌤 : 그죠. 수능만 준비하던 시기에는 학습의 결과가 좀 잔인하게 다가오잖아요. 노력해도 따라가지 못하는 학생들이 있으니까. 근데 수시는 학교생활을 충실히 하면 수능 시험은 좀 못 보더라도 대학에 입학할 수 있는 기회를 주니까. 그때 보다는 스트레스가 적어진 것 같아요.

수시 원서 개수를 6개로 줄인 게 저 때부터였는데 그 때는 보통 다 학생부 종합을 썼어요. 교과 전형도 거의 없었던 걸로 기억해요. 지금은 학생에 따라서 교과와 종합 전형 중 선택해서 쓸 수 있으니까 학생들 위주로 바뀐 거 아닌가라는 생각이 들어요. 만약 공부를 잘하는 학교라면 교과 전형이 사실 역차별일 수도 있잖아요. 1등이 같은 1등이 아니니까. 입시 문제가 맨날 문제라고 언론에서 나오지만 현재 체제보다 어떻게 더 공정함을 확보할 수 있는 지 의문이 들어요.

염쌤 : 저는 대입 제도를 너무 자주 바꾸는 것이 문제인 것 같아요. 학생과 학부모 입장에서는 아주 오랜 시간 준비하는 과업이기도 한데 너무 쉽게 바뀌는 것 같은 거죠. 학생들이 스트레스를 받는 가장 큰 이유가 거기에 있을 수도 있어요. 좀 안정적으로 운영되면 좋겠습니다.

그럼 여기까지 하겠습니다.

정시와 수시, 무게중심을 어디에?

염쌤 : 현시점에서 정시는 재수생을 위한 무대, 수시는 현역을 위한 무대인 것처럼 많이들 얘기합니다. 선생님들은 정시와 수시 중 뭐가 더 나은 전형인 것 같습니까?

이쌤 : 사람 성향에 따라 다르지 않을까요? 사람들은 수능이 제일 공정한 시험이라고 많이 얘기 하는데 시험에 강한 사람에게는 공정하겠지만 그렇지 않은 사람에게는 아닐 수도 있잖아요. 그런 사람은 오히려 수시가 더 유리할 수도 있죠. 저는 뭐가 더 공정하다 따질 수는 없다고 생각하고 성향에 따라서 수시든 정시든 하면 되지 않을까요?

염쌤 : 그러니까 개인의 입장에서는 그럴 수 있는데 정책적으로 어디에 더 비중을 둬야 할까 그런 질문이죠. 정시와 수시, 둘 다 있는 게 공정성을 실현하기는 좋은 데 비중은 왔다 갔다 했잖아요. 그런 측면에서 봤을 때 뭐가 더 강화되는 게 좋을까라는 거죠.

낭쌤 : 이 두 체제는 어차피 맞물리는 것 같아. 정시만 존재하다가 수시가 들어와서 서로 상호 보완하는 관계가 된 것 같아. 수능 점수가 낮아도 학교생활에 충실하면 대학에 들어갈 수 있게 수시가 계속 확대되어 왔고, 지금 체제가 나

쁘지는 않다고 생각해. 근데 어떤 걸 중시해야 할지는 상황에 따라 판단해야겠지만, 지금은 잘 모르겠어.

염쌤 : 그럼 정시 대 수시, 몇 대 몇, 퍼센트로 한 번 이야기해 볼까? 나부터 얘기해 볼게요. 전 정시 70, 수시 30.

평쌤 : 저도 정시 70, 수시 30입니다.

이쌤 : 수시 60, 정시 40.

염쌤 : '수시파'였군.

낭쌤 : 난 50 대 50.

염쌤 : 이쌤은 수시로 대학 갔어? 본인의 경험때문인가?

이쌤 : 네. 그게 크죠.

평쌤 : 저는 정시입니다. 제가 봤을 땐 수능이 제일 공정한 방법인 것 같아요. 누구나 같은 조건에서 같은 시험을 통해 성적을 가리는 것이.

염쌤 : 내가 수시를 30으로 한 이유는 그냥 경험적으로 학교에

서 30%정도의 학생들만 인성과 학교생활 측면에서 의미가 있는 것 같아서 그런 거야. 학생부 종합 전형에 한해 하는 말이긴 하지만 대충 30%정도면 그런 측면에서 우수한 학생들을 얼추 선발할 수 있지 않을까 판단하는 거지.

이쌤 : 저는 교수님들하고 얘기해보면 교수님들이 정시 출신을 되게 싫어하시거든요. 왜냐하면 성적에 맞춰서 온 학생들이 많다고 생각하세요. 정시로 온 친구들은 다른 길로 많이 빠지기도 했고. 그래서 대학의 존치를 위해서 수시의 비율을 더 높게 한 게 아닌가 생각해요.

염쌤 : 입학사정관들도 그 얘기를 자주 하지. '학과 적응도'나 '학과 충실도'는 수시 출신이 월등히 높다. 대신 자기 살길 찾아서 성공하는 친구들은 정시 출신이 많은 것 같다.

이쌤 : 그건 맞아요. 뭐가 더 좋은 거지?

낭쌤 : 그러니까 반반이라니까.

염쌤 : 수시 전형에서 성적이 좋은 사람은 성실하다는 것에 다들 동의하는 것 같긴 해요. 성실함도 학문을 하는 데 되게 중요한 덕목이니까 수시가 없어져서는 안 될 것 같아요.

낭쌤 : 3년 동안 정말 성실하게 해야 잘 나오긴 하지.

염쌤 : 근데 수시의 공정성 문제는 늘 문제로 지적당하니까 좀 바로 잡을 필요는 있을 것 같은데, 어떻게 하죠?

이쌤 : 실제로 공정성 문제가 많은지 저는 항상 의문이에요. 제 생각에는 논란이 될 정도로 심하지 않은 것 같은데, 극히 일부 아닐까요?

염쌤 : 극히 일부긴 하죠. 근데 계속 그걸 가시화시키지.

이쌤 : 그러니까요.

염쌤 : 수시의 공정성에 대해 의문을 가진 사람들이 제기하는 주장이 크게 두 가지 있죠. 우선 수시는 교사 변인이 너무 크다는 점. 선생님에 따라 생기부 양과 질의 차이가 크다는 주장. 두 번째는 학교에 따라 학생들 수준이 많이 다르다는 주장. 같은 등급이라고 같은 실력은 아니다. 그런 거죠.

교사 변인은 앞서 생기부 얘기하면서 많이 얘기했으니까 넘어가고, 학생 수준의 차이는 어때요? 재학하는 학생들의 수준에 따라서 등급의 어떤 실력 차이가 크다. 맞는 것 같아요?

이쌤 : 그러니까 상대적으로 성적이 낮은 학교의 학생들이 학생부 교과 전형을 많이 쓰는 거 아니에요?

염쌤 : 모르겠어요.

이쌤 : 학군이 좋은 학교의 애들은 내신이 좀 낮게 나와도 면접으로 자신의 똑똑함을 증명할 수 있으니까 종합 전형을 많이 쓰는 것으로 알고 있어요. 저는 애들이 조금이라도 상위권 대학을 가기 위해서는 수시 6장을 모두 종합 전형으로 써야 된다고 생각했어요. 근데 고3에 담임할 때 애들이 교과 전형으로 6개를 다 쓰고 싶다는 거예요. 그래서 충격 받았었거든요. 그 때 학교 수준에 따라 종합과 교과로 전형이 분리된다는 느낌을 받았어요.

염쌤 : 종합 전형이 학교 차이를 완화할 수 있다는 말이네요. 근데 나는 참 의문인 게 대부분의 지역이 이제 평준화 지역이잖아. 그럼에도 학교마다 학생들의 성적 차이가 나는 이유가 뭐야? 실제로 차이가 많긴 한가? 잘사는 동네, 신도시, 학군 좋은 곳의 성적이 좋다는 근거는 어디에서 나온 거지? 최상위권 일부 학생의 성적을 너무 확대 해석하는 건 아닌가?

이쌤 : 아무래도 공부에만 집중할 수 있는 환경이지 않아요?

염쌤 : 그럼 다른 지역에 사는 아이들은 공부에만 집중 못하고, 아버지 농사일이라도 도와주나?

평쌤 : 제가 나온 고등학교가 사립 인문계거든요. 특목고가 아닌데도 공부를 잘하는 학생들이 많이 오는 학교였어요. 왜 그랬냐면 일단 사립인 게 컸고, 선생님들이 대학을 잘 보내야겠다는 일념이 크다고 알려져서 공부 잘하는 애들이 많이 지원했죠. 실제로도 수능을 잘 봐서 대학 간 애들이 많았어요. 그런 학교가 좀 있는 것 같습니다.

염쌤 : 그러니까 그런 학교가 왜 생기는 거지?

평쌤 : 글쎄요?

염쌤 : 난 그게 의문이야. 선생님들은 별 차이 없거든.

낭쌤 : 똑같지.

염쌤 : 크게 봤을 때는 비슷해. 그냥 잘하는 애들이 몰려가니까 그 애들이 우수하게 졸업하는 거지. 학교가 잘한다는 건 엄밀히 그 학교에 있는 애들이 잘하는 거지. 그리고 잘할 만한 애들이 우르르 가니까 그 학교의 이미지가 좋아지고, 그렇게 반복되는 거 아닐까?

이쌤 : 그렇죠.

염쌤 : 학군에 따른 문제를 해결하려면 학생 지망을 안 받아야 할 것 같은데, 고등학교 무선 배정 어때요? 지망을 적으니까 한 쪽에 쏠리고 그런 거잖아. 그냥 근거리 위주로 무선 배정하는 거지. 이건 학생의 선택권을 침해하는 행위일까요? 난 별로 상관없을 것 같은데? 물론 학부모님들께서 엄청 뭐라고 할 것 같기는 합니다. 그래도 평준화의 가치를 실현하려면 좀 무선 배정이 필요할 것 같다는 생각이 지워지지 않네요.

낭쌤 : 난리날 것 같은데? 중학교도 선택하는데.

염쌤 : 맞아요. 갈수록 선택권이 넓어지고 있어요. 근데 인간은 가치를 매기는 종족이기 때문에 선택권이 주어지면 그 선택지 내에서 비교하고, 등급을 나누려고 하죠. 그 행위 자체가 경쟁을 유발하는 거거든요. 아무리 민주주의지만 너무 많은 선택권을 주는 것도 좀 문제가 될 수 있다는 생각이 들어요. 국가 교육 시스템이 공정하게 일관되게 적용된다고 믿는다면 굳이 그런 선택권이 필요할까요? 비슷한 지역에서 어떤 학교의 학생 수는 넘쳐나고, 어떤 학교는 미달이고, 그러면서 생기는 교육 환경 문제도 사실 심각하거든요.

평쌤 : 아까 고3 애들이 대학교도 무작위로 배정하면 좋겠다고 얘기하더라고요. 대학교 뺑뺑이 시스템.

낭쌤 : 학과도?

이쌤 : 자기 지역 근처에서 그냥?

염쌤 : 인생이 그냥 운인 거네. 아무튼 수시 공정성 얘기하고 있었죠. 사실 학교별로 유-불리는 있겠죠. 근데 솔직히 누가 힘든 곳 가라고 등 떠밀지는 않았잖아요. 주로 공부 잘하는 학교에 다니는 사람이 수시 공정성 얘기하는데, 그 학교 진학할 때 그걸 예측 못하지는 않잖아요? 그럼에도 그 학교의 혜택을 보고 싶어서 가는 거죠. 그래 놓고 내신 안 나온다고 투덜대면 굳이 그걸 받아줘야 되나요? 수시 시스템은 어떤 면에서 고등학교를 그렇게 선택하지 말라고 있는 것 같기도 해요. 평준화의 가치를 실현하는 거죠.

낭쌤 : 예전에 내가 3학년 담임할 때 국어교육과를 지원한 애가 있었어. 걔가 내신 2점 후반에서 3점 초반 정도였는데 간당간당했거든. 그래도 지원했는데 결국 떨어졌어. 근데 특성화고에서 지원한 학생이 붙었더라고. 똑같은 과를. 걔가 내신이 더 좋았나봐 걔가 붙었대.

염쌤 : 특성화고 전형이 있을 걸요?

낭쌤 : 국어교육과를?

염쌤 : 대학교에 이상한 전형 많아.

낭쌤 : 그럴 수 있긴 한데 나는 그때 약간 좀 의문이 들었어.

염쌤 : 이유가 있었겠지. 동일 전형이었으면 안 될 것 같은데?

낭쌤 : 나는 그때부터 대학이 애들을 제대로 뽑고 있는 지 조금 불신이 생겼어. 어떻게 뽑는지를 전혀 모르니까.

염쌤 : 그건 아무도 모르지.

낭쌤 : 그러니까 지금 하고 있는 면접 및 서류 준비가 제대로 된 건지 모르겠어. 정말 대학에서 그렇게 평가를 하는 게 맞는지. 그냥 대외 홍보용으로 하는 말인지. 예전에 어떤 애는 3등급인데 서울 쪽에 대학이 다 붙었어. 면접도 잘 본 것 같지 않았는데 신기하더라고.

염쌤 : 투명하려면 정시가 많아야지. 수시는 애초에 주관적으로 뽑겠다는 거잖아. 아마 영원히 일정 이상 모를 거야.

평쌤 : 맞아요. 그래서 정시를 좀 더 확대하는 게..

염쌤 : 입학사정관이 생기부를 보고 해석하는 거잖아. 엄밀히 사실 자체를 정확히 아는 게 아니라 해석된 결과지. 엉뚱한 곳에 꽂힐 수도 있고. 그 해석 자체를 우리는 정확히 알 수 없지. 근데 왜 아까는 정시를 50%밖에 안 했어요?

낭쌤 : 내가 고3 남자 문과 반을 지도 했을 때 모의고사는 처참했거든. 그래도 수시가 있어서 대학을 갔었지.

염쌤 : 정시가 있어도 가겠지.

낭쌤 : 갈 수 있는 그게 안 나와.

염쌤 : 대학이 약간 밑으로 내려가겠지.

낭쌤 : 밑으로 내려가지. 학교생활은 되게 열심히 했거든. 근데 우리 반에 모의고사 1등급 나오는 애가 없었어.

염쌤 : 도대체 정시로 잘 나오는 친구들은 어디 사는 거야?

낭쌤 : 근데 수시로 대학을 가도 문제는 그 후에 발생하더라고. 수업을 못 따라가더라고.

염쌤 : 그럴 수 있죠. 고등학교랑 대학교 공부가 좀 갭이 크죠. 기회균형 전형으로 대학가도 좀 비슷한 상황이 생기잖아요? 그런 전형은 괜찮은 것 같아요?

낭쌤 : 가서도 열심히 해야지.

이쌤 : 그것도 그렇고 외국학교 전형? 애들이 공부를 다 못 따라가는 것 같던데요?

염쌤 : 학생들이 상대적으로 쉽게 대학을 가지만 막상 가서는 잘 못 따라가는 친구들이 많다는 건 다 아는 것 같아. 근데도 그 전형이 존재하잖아. 오히려 계속 확대되어 왔지. 약간 복지 차원이잖아. 평등의 관점에서 과정의 평등보다 결과의 평등을 중요시하며 생긴 전형이잖아요. 실제 능력과 상관없이 결과의 평등을 만들어 준거지. 근데 그게 맞는 건지는 의문이거든. 난 결과 평등주의를 별로 좋아하지 않아.

낭쌤 : 가서 열심히 할 수 있는 거 아닌가?

이쌤 : 거기서 따라갈 수 있는 학생이 한 명이라도 있다면, 그런 느낌으로 만들어 놓은 거 아닐까요?

평쌤 : 그 한 명을 위해서 만든 제도인거네요.

이쌤 : 그래서 많이 안 뽑잖아요.

염쌤 : 나는 결과의 평등을 보장해 주는 경우는 과정에서도 심각한 사유가 있어서 동일한 결과가 절대 나올 수 없다는 가정이 함께 있어야 한다고 생각하거든. 어머니 밭일 도와주느라고 공부할 시간이 없었다는 가정. 옛날에는 진짜 그랬으니까 이해하겠어. 근데 내가 바라보는 현재의 대한민국은 전국 어디에 사나 EBS 강의를 들을 수 있고, 문제집을 살 수 있고, 공부하려면 얼마든지 할 수 있다고 봐. 지역 때문에 공부를 못할 이유가 하나도 없어. 오히려 복지혜택은 더 좋아. 섬 지역은 방과후 수업도 예전부터 무료였고, 온라인 강의 판치는데 지역이 무슨 상관이겠어? 굳이 결과의 평등을 보장해 줘야 될 이유를 잘 모르겠는 거야. 너의 집 소재지가 읍이어서 농어촌 배려를 해줘야 된다. 나는 이거 웃긴 것 같아. 수시, 정시랑 또 다른 얘기야. 수시가 인성을 본다고 가정하면 사는 지역에 따라서 인성을 보는 잣대도 다르게 하겠다는 거잖아.

평쌤 : 제 생각에도 불필요한 것 같습니다. 그런 환경에서도 수업 잘 듣고 수능 잘 봐서 대학을 갈 수 있다고 생각해요.

이쌤 : 저는 그래도 필요하다고 생각하는데 실제 대학 생활하면서 그런 전형으로 들어온 친구들이 힘들어하는 걸 너무 많이 봐서 결정하기가 너무 어려운 것 같아요. 또 그런 친구들이 처음에는 힘들어하다가 나중에는 행정고시도 붙고 잘 되긴 하더라고요. 그런 걸 보면 필요하지 않을까요?

만약에 그 친구가 그 전형으로 안 들어와서 대학교를 못 오고, 행정고시를 접할 기회도 없고 했으면 인생이 좀 많이 달라졌을 테니까 필요하다고 생각을 해요.

낭쌤 : 대학 입학이라고 하는 게 아이들 키우는 부모 입장에서 보면 되게 큰일이잖아. 그러니까 좀 외진 곳에서 살아가는 사람들에게 나라가 해줄 수 있는 그런 보상인 것 같아.

그 전형으로 대학에 들어가게 되면 거기에서 공부하고 앞으로 나아가는 거는 본인 몫으로 넘어가는 거지. 그러니까 나라에서 해줄 수 있는 가장 큰 보상인 것 같아.

염쌤 : 좋은 얘기네요. 강하게 주장하긴 했지만 저도 사실 잘 모르겠어요. 그래도 한 번 얘기는 해야 할 것 같아서 꺼내 봤습니다. 정리가 하나도 안 되지만 수시와 정시, 기타 등등 얘기는 여기에서 마무리 하겠습니다.

용의 복장 규정의 변화

염쌤 : 오늘은 교복과 관련하여 달라진 학교의 모습에 관해 얘기해 보겠습니다. 저희가 학교 다닐 때 비해 달라진 현재의 모습에 대해 함께 얘기해 보죠. 아예 과거부터 말씀해 보세요. 형이 다닐 때는 교복 규정이 어떻게 됐어요?

낭쌤 : 일단 난 중학교 때 교복이 없었어.

염쌤 : 그 시대구나. 잠깐 없을 때.

낭쌤 : 교복이 없다가 중학교 3학년 때 교복이 들어왔거든. 용의 규정이나 이런 게 상당히 엄격했지. 중학교 들어갈 때 스포츠머리에 몇 cm 규정도 다 있었고. 그러다가 교복이 생기고 나서는 등교할 때 교복만 입어야 했지. 심지어 운동화나 양말에 대한 규제도 있었어. 여학생 같은 경우는 검은색 단화에다가 양말 몇 cm 이런 것도 있었고.

고등학교 와서도 교복 입는 거는 당연했고. 그래도 조금 멋을 내고 싶어서 교복 리폼을 했지. 우리 때는 펑퍼짐한 힙합 스타일이 유행했거든. 질질 빗자루처럼 끌고 다니는 게 유행했지.

염쌤 : 할 건 다 했네요.

낭쌤 : 내가 교사가 되고 나서도 용의 복장에 대한 규정은 여전히 엄격했던 것 같아. 염색도 전혀 안 됐고, 몇 cm 규정도 다 있었고, 교복 안 입으면 지도해야 되고.

지금은 용의 복장 규제가 없는데 현재가 좋은 것 같아. 선생님들도 마음 다칠 일도 없고. 용의복장 지도하다 보면 맨날 시끄럽거든. 아이들이랑 싸우고 부모님들도 전화해서 '왜 이런 게 안 되냐.' 얘기도 하고. 지금처럼 자유롭게 교복 입는 모습들은 괜찮은 것 같아요.

옛날에 학생이 염색하면 공부를 안 한다고 어른들이 그랬는데 지금 보니 그런 건 전혀 상관없는 것 같아. 교복을 안 입으면 가정의 경제 수준을 알 수 있어서 문제가 될 수 있다는 말도 있었는데 그것도 별로 상관없는 것 같아. 그런 부분으로 애들이 나쁜 길로 빠지지는 않는 것 같아. 굳이 규제할 필요는 없다고 생각해.

염쌤 : 저도 빡빡한 생활 규정이었죠. 교복, 머리 길이, 염색은 솔직히 생각도 안 해봤던 것 같아. 숨길 수가 없잖아. 엄두도 못 냈고, 우리 때는 왁스 대신 젤을 많이 발랐죠. 재밌는 건 용의 복장을 선도하는 주체가 선생님이 아니라 주로 선배였어요. 운동장에서 조회한다고 모여 있을 때 있잖아요. 그러면 멀리서 선배가 보고 손가락질을 해요. 끝나고 따라오라고. 엄청 무서웠죠. 한 달에 한 번은 복장 검열 같은 거라고 해야 하나? 그런 게 있었어요. 학생들은 책상

위에 학생증이랑 손수건이랑 준비물을 올려두고 복장을 갖춘 상태로 교실에 대기하면 선배들이 들어와서 확인하는 행사? 같은 거였죠. 그때도 선생님들은 싹 빠지고 선배들이 왔다갔다 하는데 엄청 무서운 날이었어요.

이쌤 : 손수건은 왜 있는 거예요?

염쌤 : 모르지. 그냥 그게 준비물이에요. 신사의 매너인지 모르겠지만 없으면 급하게 휴지라도 접어서 올려놓고 했죠. 저같이 머리가 뜨는 스타일은 젤을 발라야 되는데 못 바르게 해서 스트레스가 많았죠. 남녀공학이라서 외모에 민감했는데 젤 바른다고 맨날 혼나고, 엄청 화나더라고. 그래서 그런 규정이 없어진 건 좋은 것 같아. 그게 무슨 의미가 있었나 싶어요.

평쌤 : 제 생각에도 큰 의미는 없는 것 같아요.

염쌤 : 사실 용의 복장 규정이 없어진 건 얼마 안 됐죠. 제가 여중에서 근무할 때도 치마 길이부터 귀 몇 cm 이런 규정이 있었어요. 당시 학생부였는데 그런 걸로 잡혀서 오면 좀 난감하더라고. 특히 상·벌점 시스템이랑 연동되면 많이 곤란해. 벌점이 쌓이면 선도위원회로 넘어가 버리는데 용의 복장에 의한 벌점 누적으로 선도위원회를 하는 게 좀 과하잖아. 약간 폐단이었죠.

이쌤 : 학생인권조례 생기면서 다 없어진 거 아니에요?

염쌤 : 그렇죠. 학생인권조례 들어오면서 학생 인권 향상 차원에서 다 이루어진 거죠. 근데 생활지도 규정이 약화되면서 교권이 줄었다고 평가하는 흑백 논리는 문제인 것 같아요. 저는 그 두 개는 전혀 무관하다고 생각합니다.

이쌤 : 저는 여중, 여고를 나왔는데 교복은 당연히 다 입고 다녔어요. 좀 신기했던 건 교복 블라우스 안에 티셔츠를 입어야 했는데 흰 티셔츠를 입어야 해서 좀 짜증 났던 기억이 있어요.

염쌤 : 맞아. 검은색 티 입으면 벌점 줬어.

이쌤 : 흰 티셔츠에도 문양이 있을 수 있잖아요. 머리 길이는 어깨에서 15cm였던 것 같아요. 꽤 길어서 괜찮았어요. 치마 길이는 별로 말씀안하셨는데 그때 선생님들이 유독 집착했던 건 치마폭을 줄이는 거였어요. 애들이 단을 박아서 치마폭을 많이 줄였거든요.

낭쌤 : 약간 펭귄처럼 걸어 다니게 되는 거 맞지?

이쌤 : 잘 못 걷죠. 중학교 때 엄청 유행이었는데 선생님들이 칼로 다 뜯어버렸던 기억이 나요.

염쌤 : 맞아. 학생부에서 칼로 뜯었어.

이쌤 : 맞아요. 저도 규제가 풀린 게 좋다고 생각해요. 그래서 이런 변화를 크게 못 느끼고 있었어요. 근데 제가 아이들 사진을 가끔 SNS에 올릴 때가 있는데 제 친구들이 애들 버릇이 왜 이렇게 없냐는 거예요. 내가 왜 그러냐고, 공부도 열심히 하고 수업 참여도도 좋은 반이라서 올린 건데. 그랬더니 어떻게 모자를 쓰고 수업할 수가 있냐는 거예요. 전 의식도 못 했었는데 제 친구들은 그러더라고요. 그 때 학교 밖의 사람들에게는 좀 그렇게 보일 수도 있겠다고 생각했어요. 그래도 저는 바뀐 게 좋아요. 교사가 될 때 제일 걱정했던 부분이기도 하거든요. 무슨 근거로 애들 복장을 잡아요.

낭쌤 : 되게 불필요하면서도 피로감만 높이는 일이야. 아까 얘기했던 것처럼 이런 걸로 벌점 쌓여서 선도위원회 가고, 교내봉사 3일 처분받는데 그럴 만한 일인가 싶었어.

2009년인가? 그때 학교에 혁신적인 아이가 있어서 두발 자유 시위를 했었거든. 막 1인 시위하고 막 그랬어. 근데 반영은 안 되고, 그 친구는 계속 선도위원회에 올라갔어. 올라가면 또 누적되잖아. 처음엔 교내봉사, 그다음엔 사회봉사, 결국 특별 교육까지 갔어. 좀 안타깝더라고. 당시 분위기로는 학교에서 용인을 해줄 수 없으니까 계속 갈등만 있었지. 그 친구가 그 문제에 쏟은 에너지를 생각하면 더 안타깝지. 훨씬 학업에 열중하고, 학교생활도 잘 할 수 있는 친구였는데. 담당 선생님도 계속 선도위원회 준비하느라 서류 만들고 회의하고 에너지를 쓰는 데, 서로 피곤하기만 하고 얻은 건 없잖아.

염쌤 : 관리자 역할이 큰 것 같아요. 우리 학교도 지금 교장 선생님 오면서 용의 복장에 관한 얘기가 싹 사라졌잖아요. 그런 부분은 관리자의 의지로 다 해결할 수 있지.

평쌤 : 저는 중학교 때 자유로운 학교를 나와서 규정이 딱히 없었어요. 머리도 기를 수가 있었고, 그나마 바지통 줄이는 것 정도? 고등학교 때는 규정이 되게 심했는데 까까머리라고 해서 무조건 머리를 바리깡으로 밀어야 했어요. 몇 cm인지 자로 재고, 넘어가면 바로 이발소 가서 자르고. 실내화 주머니도 갖고 다니면서 교내에서 무조건 실내화를 신어야 했어요.

이쌤 : 초등학교 같네요.

평쌤 : 교복도 무조건 다 완벽하게 착용해야 하고, 그나마 허용한 건 겨울에 외투 입는 건데, 그때도 무조건 외투 안에 자켓을 입어야 했어요. 그리고 예전에는 여학생들 화장에 대해서

남자 선생님들도 지적을 많이 했었던 것 같은데, 이제는 남자 선생님이 아예 그런 지적을 안 하는 분위기가 된 것 같아요. 성차별적 요소 때문인지 모르겠지만 중학교에서 근무할 때도 보통 여자 선생님들이 화장이나 교복 치마 길이를 지적했어요.

저도 용의 복장 자율화가 좋다고 생각은 하는데, 단점도 있는 것 같아요. 우선 교복이 자유로워지면서 아이들이 경쟁적으로 명품을 사려는 분위기가 형성되지 않았나 싶습니다. 예전에도 등골 브레이커라고 해서 애들이 비싼 패딩 사서 입었잖아요. 그리고 자유로워진 건 좋은데 피어싱, 염색, 액세서리 같은 것은 좀 고민해야 하지 않을까 생각해요. 또 표현의 자유는 좋지만, 불법적인 부분은 안 되는 거잖아요. 음주나 흡연 같은 경우는 당연히 생활지도를 해야죠. 근데 타투는 딱히 제재할 만한 규정이 없더라고요. 타투 시술도 불법이니까 엄격한 규정이 필요하다고 생각해요. 자율화가 너무 심해서 넘지 말아야 할 것까지 학교에서 용인하고 있는 것은 아닌가 생각해요.

염쌤 : 그 비싼 거 사는 문제는 교복 입을 때도 문제였잖아.

이쌤 : 근데 가격대가 너무 심해지긴 했어요.

평쌤 : 예전에는 모든 아이들이 그랬던 건 아닌 것 같거든요. 근데 요새는 전부다 경쟁적으로 비싼 옷을 삽니다.

염쌤 : 우리 학교 애들이 그렇게 입고 다닌다고?

이쌤 : 우리 학교 애들도 입고 다니는 패딩 보면 80만 원짜리 이런 거 되게 많아요.

염쌤 : 나는 봐도 그게 비싼 건지 모르니까.

이쌤 : 저는 깜짝 놀라요.

염쌤: 외투 안에 꼭 교복 자켓을 입어야 한다는 규정은 좀 웃기긴 해. 굳이 교복을 입었다는 걸 증명해야 했을까? 그걸 보여주기 위해서 추워죽겠는데 등교할 때 패딩 안쪽을 보여주고 그랬잖아.

평쌤 : 사실 그거 입는다고 따뜻하지도 않고 불편하기만 하죠.

이쌤 : 불편하니까 재킷 팔은 자르고, 몸통만 남겨두는 애들도 있었어요. 보여주는 건 가운데만 보여주니까.

염쌤 : 아까 말한 문신, 문신은 일단 한 번 하면 끝이잖아?

이쌤 : 아니 지울 수 있어요.

염쌤 : 지울 수 있지만 엄청 비싸기도 하고, 학교에서 지우라고 요구하기는 현재 규정에서 좀 그렇잖아요.

이쌤 : 타투나 피어싱할 때 미성년자면 부모님 동의를 받아야 하는 거 아니에요? 근데 애들이 그냥 해요?

평쌤 : 그냥 애들이 불법으로 해요. 그리고 안 가리고 다니죠. 드러내고 싶어서 하는 거잖아요.

염쌤 : 현재 타투가 불법 시술 아냐? 애초에 불법 시술이잖아. 불법 시술하면서 고객이 미성년자인지 따지겠어?

이쌤 : 그래도 물어본다고는 들었는데?

평쌤 : 성인은 모르겠지만 학생들은 진짜 아닌 것 같습니다.

염쌤 : 그럼 학교 규정에 타투는 안 된다고 넣자는 거지?

평쌤 : 네.

이쌤 : 만약 했으면 어떻게 해?

평쌤 : 지워야죠.

염쌤 : 오, 이건 강력한 태도를 보이는데? 근데 그런 면도 있어. 학생들은 규정이 있어서 어기는 측면도 있거든. 옛날에 규정이 엄격했을 때도 머리 기르고, 교복을 안 입는 애들은 있었지. 늘 그런 애가 있으니까, 마찰이 생긴 거잖아. 모든 학생이 규정을 잘 지켰으면 스트레스를 안 받겠지. 그러니까 생활지도의 업무 피로도가 높았던 거야.

그럼 그 친구들은 왜 하지 말라는 일을 했을까? 내 생각에는 하지 말라고 해서 한 것 같아. 어른들이 하지 말라고 하니까 반항의 수단이 되는 거죠. 두발 자유화 얘기 나왔을 때만 해도 마치 두발 자유화하면 애들이 다 장발로 다닐 것처럼 얘기했지만 실제로 그렇지 않잖아. 그러니까 그런 제약을 두는 것이 한창 사춘기인 애들한테는 오히려 그 행동을 하는 계기가 될 수도 있다고 봐요. 금지하려고 만든 규정이 오히려 그 행동을 유발하는 측면이 있는 거죠. 그래서 규정에 넣는 건 고민을 많이 해봐야 해요.

이쌤 : 만약 규정을 안 만들면 당연히 해도 되는 거 아니냐는 인식이 퍼질 수도 있지 않아요?

염쌤 : 그럴 수도 있겠지.

평쌤 : 규정이 없으면 타투를 하고 온 학생에게 선생님이 지도할 때 근거가 없으니까 애매한 거죠.

염쌤 : 꼭 가려야 하나?

평쌤 : 다른 학생들에게 위화감을 조성할 수 있으니까.

염쌤 : 화장을 진하게 하는 것과 타투를 비교하면? 규정이 없으니까 말하기가 애매하겠지. 근데 규정이 있다고 말하면 과연 말을 잘 들을까 의문이 들어. 그런 친구들이 다 소수이긴 한데 나는 모자는 좀 거슬리더라고.

평쌤 : 저도 거슬려요.

낭쌤 : 난 이해해.

이쌤 : 왜요? 수업을 열심히 들어도 거슬려요?

염쌤 : 그게 아니라 눈을 안 마주치려고 모자를 깊게 눌러쓰고 있잖아. 그런 의도가 느껴지니까. 그리고 모자가 그 도구로 이용되는 것 같아서 거슬릴 때가 있어. 모자를 쓴 모든 애가 아니라 모자를 깊게 쓴 게 거슬리는 거지. 수업이라는 게 눈을 마주치고 상호작용을 해야 하는데 그게 잘 안되거든요. 표정이나 눈빛을 보기도 쉽지 않고. 이런 건 자유의 역효과인 것 같아.

평쌤 : 비니 같은 건 괜찮으세요?

염쌤 : 그거야 괜찮지. 눈이 잘 보이니까.

평쌤 : 눈만 보이면 괜찮은 거구나.

이쌤 : 저는 수업 시간에야 모자 쓰든 말든 상관없다고 생각하거든요. 근데 시험시간에 모자를 쓰고 있으면 엄청 고민돼요. 어떻게 하세요?

염쌤 : 그거 금지하는 거잖아?

이쌤 : 금지하죠. 근데 애가 전 시간도 쓰고 있었대요.

염쌤 : 그건 걔의 변명이지.
낭쌤 : 우리 모자 쓰고 시험 봤으면 부정행위로 처리하나?

염쌤 : 그랬을걸요?

낭쌤 : 규정상 있으면 벗으라고 해야 할 것 같은데.

이쌤 : 그럼 그 시간에 제가 모자를 벗기더라도 전 시간은 어떻게 되는 거예요?

낭쌤 : 2교시 때 그런 거면 좀 걱정되기는 하겠네.

이쌤 : 그러니까요.

평쌤 : 전에 감독관 선생님이 안 잡으셨을까봐?

이쌤 : 그럴 수도 있잖아요.

염쌤 : 그 전 선생님이 안 잡았다고 해서 지금 벗으라고 지도하는데 버틸 명분은 없지.

이쌤 : 그럼 전 시간 감독하신 선생님께 피해를 줄 수 있을까봐. 괜히 내가 잡아서.

염쌤 : 아니지. 진짜 그랬으면 그 사람이 잘못한 거지. 고사 규정이 있는데 진짜로 모자를 썼는데 안 잡았으면 그 사람이 잘못한 거니까 책임을 져야지.

낭쌤 : 그래도 2교시에 발견한 사람은 부담이 크지.

이쌤 : 진짜 너무 부담이었어요.

염쌤 : 당연히 부담되지. 그렇다고 믿을 수 없는 학생의 말 때문에 2교시에도 모자를 쓰게 할 수는 없잖아.

낭쌤 : 그렇지.

염쌤 : 그러니까 할 수 있는 일은 해야지. 고사 중 모자 착용 금지는 컨닝 방지 때문에 조치하는 거니까. 아무튼 용의 복장 관련해서 길게 쭉 이어서 얘기했는데 꼭 규정이 아니라도 상갓집 갈 때 운동복을 입지 않는 것처럼 학교를 집과 완전히 똑같이 대할 수는 없지 않을까요? 상황에 따라 적절한 복장이 있는 거잖아요. 자유라는 명분으로 집 안과 똑같이 입고 있다면 그건 또 문제가 될 수 있죠.

그리고 거의 유명무실해진 교복을 계속 존치해야 하는지도 고민해야 할 것 같아요. 예산 낭비도 심하고, 학교 주관 구매를 하기 위해 낭비되는 행정력도 많거든요.

낭쌤 : 교복의 존재 이유는 잘 모르겠는데 그렇다고 쉽게 결정할 수 있는 일은 아닌 것 같아. 교복으로 먹고사는 사람들이 엄청나게 많다고 하더라고.

염쌤 : 그럼 교복 입는 걸 장려하는 것에 대해서는 어떻게 생각해? 그것도 폭력적인가?

낭쌤 : 학생들이 학교에서 활동하고 수업 듣는데 교복이 되게 불편하다고 생각하거든. 그래서 요새 생활복으로 많이 나오잖아. 그러니까 아이들이 편하게 입을 수 있는 형태로 바꾸면 좋지 않을까 생각하지.

염쌤 : 재밌는 게 기존 딱딱한 교복에서 생활복으로 바꾸는 흐름이 쭉 이어졌잖아요. 근데 우리 학교에서 그게 왜 안 된 줄 알아요? 학생들이 반대해서 그래요. 평소에는 교복을 입을 생각이 없고, 졸업식이나 특별한 날에만 입을 생각이니까 정복이어야 되는 거야.

이쌤 : 맞아요. 진짜 그래요.

염쌤 : 어른들은 생활복으로 바꿔서 입으라고 하지만 학생들은 그럴 생각이 없는 거죠. 아이러니하죠.

평쌤 : 저는 교복을 입는 이유가 소속감 때문이라고 생각하거든요. 만약 교복이 없어지면 대학교에서 과잠(학과 잠바) 맞추듯이 자발적으로 맞추게 될 것 같아요.

염쌤 : 체육 대회 때 반티 맞추듯이?

평쌤 : 그렇죠. 좀 좋은 걸로 맞추는 거죠.

염쌤 : 그러면 되지 않을까? 교복 없애고.

평쌤 : 실제로 야구 잠바를 맞춰서 입는 학교도 있더라고요.

염쌤 : 괜히 중복으로 돈 쓰는 거잖아.

낭쌤 : 그렇게 맞추면 되게 자랑스럽게 잘 입고 다니더라고.

염쌤 : 교복을 지원해 줄 예산으로 의류 구입 예산을 지원해 주면 알아서 맞추겠죠. 전 개인적으로 교복이 아니라 교사의 유니폼을 지급해야 한다고 봐요. 농담처럼 말하지만, 마트에 갔는데 직원이 사복을 입고 마트 손님이 유니폼을 입고 있다면 어떻겠느냐? 이상하지 않나? 근데 학교는 지금 그런 시스템이다. 손님이 유니폼을 입고, 직원이 사복을 입는 시스템. 아주 놀라운 현상이죠.

평쌤 : 일리가 있습니다.

염쌤 : 이상하게 특정직 공무원 중에서 유니폼이 없는 직종은 교사밖에 없습니다. 모든 특정직 공무원은 유니폼이 있거든요. 유니폼이 필요한 이유가 사실 있어요. 학생들이 은근히 교사의 복장에 민감하거든요. 선생님의 옷차림을 보고 학생들끼리 말도 많이 하죠. 구리다느니, 어쩌느니.

이쌤 : 맞아, 맞아.

염쌤 : '선생님은 왜 맨날 똑같은 거 입고 와요?' 이런 질문도 많이 하고, 특히 나이가 어릴수록 더 심합니다. 고등학생은 생각해도 말로는 안 뱉는데 중학교는 그냥 다 말해요.
교사의 복장이 그 자체로서 어떤 교육적인 영향이 있는 거죠. 학생들이 선생님을 비교하는 하나의 구실도 되고. 특히 남자보다는 여자 선생님들이 신경을 많이 쓰셔서 스트레스받는 분도 있더라고요.

이쌤 : 맞습니다.

염쌤 : 아침마다 뭘 입을 것인지 고민하는 게 즐거울 수만은 없죠. 사람에 따라 그것이 즐거울 수도 있지만, 아닌 사람은 고통이죠. 그냥 유니폼을 지급하면 좋겠어요.

이쌤 : 나쁘지 않은데요, 좋은데요?

염쌤 : 학생들은 자유롭게 입어라.

낭쌤 : 유니폼 맞춥시다.

염쌤 : 이렇게 동의하실 줄 몰랐네요. 이것저것 길게 대화를 나눴는데 여기까지 하고 우리 활동을 마무리하겠습니다. 책에 담지 못하는 얘기들도 사실 많이 있을 것 같아요. 워낙 가감 없이 대화를 나누다 보니 좀 자체 필터링이 필요할 것 같네요. 그래도 이런 시간이 있어 조금 더 힘내서 교육할 수 있을 것 같아요.

부모님들이 자식을 키울 때 불평불만을 많이 하시지만 그렇다고 자식을 사랑하지 않는 것은 아니듯이, 우리의 대화도 불평불만이 가득했지만, 그냥 힘을 내기 위한 투정이라고 생각합니다. 여러 선생님의 속내도 들어보고 노하우도 공유해서 너무 즐거웠어요.

다음에 다른 기회로 또 얘기 나눠요. 그러면 진짜 끝끝끝.

종례

그래도 행복

낭쌤

매일 새날의 시작을 알리는
목청이 쉰 수탉처럼
알람 소리에 겨우 잠을 깨고
힘들게 하루를 시작할 때도
나를 기다리는 그곳이 있네.

종이 치면 침만 흘리는
배고픈 파블로프의 개처럼
수업 종소리에 힘겹게 반응하며
무거운 몸을 일으킬 때도
나와 같이 웃어 줄 그들이 있네.

불 꺼진 상점가를 배회하는
갈 곳을 잃은 길고양이처럼
한둘씩 떠나버린 학교에서
지독한 외로움을 느낄 때도
또 새로운 하루가 기다리고 있네.